FLORENCE
ET LA TOSCANE

Gauche **Le Ponte Vecchio, Florence** Droite **San Gimignano**

Une compagnie de Quebecor Media

DIRECTION
Nathalie Pujo

DIRECTION ÉDITORIALE
Cécile Petiau

RESPONSABLE DE COLLECTION
Catherine Laussucq

ÉDITION
Émilie Lézénès et Adam Stambul

TRADUIT ET ADAPTÉ DE L'ANGLAIS PAR
Jean-Yves Cotté,
avec la collaboration de Sophie Noël

MISE EN PAGES (PAO)
Anne-Marie Le Fur

CE GUIDE TOP 10 A ÉTÉ ÉTABLI PAR
Reid Bramblett

www.dk.co

Publié pour la première fois en
Grande-Bretagne en 2002 sous le titre :
*Eyewitness Top 10 Travel Guides:
Top 10 Tuscany*

© Dorling Kindersley Limited,
Londres 2011
© Hachette Livre (Hachette Tourisme) 2011
pour la traduction et l'édition française

© Éditions Libre Expression, 2011
pour l'édition française au Canada

IMPRIMÉ ET RELIÉ EN CHINE

Les Éditions Libre Expression
Groupe Librex inc.
Une compagnie de Quebecor Media
La Tourelle
1055, boul. René-Lévesque Est
Bureau 800
Montréal (Québec) H2L 4S5
www.edlibreexpression.com

Dépôt légal : Bibliothèque et Archives
nationales du Québec, 2011

ISBN 978-2-7648-0544-2

Le classement des différents sites
est un choix de l'éditeur et n'implique
ni leur qualité ni leur notoriété.

Sommaire

Florence et la Toscane Top 10

Florence et la Toscane thème par thème

Aussi soigneusement qu'il ait été établi,
ce guide n'est pas à l'abri
des changements de dernière heure.
Faites-nous part de vos remarques,
informez-nous de vos découvertes
personnelles : nous accordons
la plus grande attention
au courrier de nos lecteurs.

Abréviations : EP *Entrée payante* **EG** *Entrée gratuite*
C *Climatisation* **PC** *Pas de climatisation*

Gauche **Portoferraio, Elbe** Centre **Boutiquier florentin** Droite **Place principale, Greve in Chianti**

Gauche *David* de Michel-Ange Droite **Le hameau de Montefioralle**

Abréviations : j.f. *jour férié* **t.l.j.** *tous les jours*
AH *Accès handicapés* **PAH** *Pas d'accès handicapés*

FLORENCE
ET LA TOSCANE
TOP 10

⏀⏀ À ne pas manquer

Berceau de la Renaissance, la Toscane est d'une telle richesse qu'il est difficile d'effectuer une sélection. Dans un paysage magnifique, les collines toscanes abritent des villes médiévales, des vignobles légendaires et une collection unique de chefs-d'œuvre artistiques datant de la Renaissance.

2 Piazza del Duomo, Florence

Dans un décor de marbre rouge, vert et blanc se trouvent la coupole de Brunelleschi, le campanile de Giotto, les portes de Ghiberti, la *Pietà* de Michel-Ange, et deux terrasses panoramiques *(p. 12-13)*.

1 Les Offices, Florence

Les anciens bureaux de la dynastie des Médicis *(Uffizi)* abritent un musée exceptionnel consacré essentiellement à l'art de la Renaissance *(p. 8-11)*.

3 Palazzo Pitti, Florence

L'imposant palais des Médicis possède de splendides collections de peintures, de porcelaines, de carrosses, et des jardins *(p. 14-17)*.

4 San Gimignano

Cette ville médiévale aux hautes tours de pierre et aux églises rehaussées de fresques est entourée de champs et de vignobles en terrasses *(p. 18-21)*.

Pontremoli

Lunigiana

Alpi Apuane

Carrara
Massa

Lucca (Lucques) ⏀⏀

Viareggio

⏀ Pisa (Pise) Arn

Livorno (Libourne)

Collir

San Vincenzo

Piombino

Isola d'Elba

Punta Ala

Arcipelago Toscano

Mer Ligure

Isola di Montecristo

0 ⎯⎯ 20 km

5 Campo dei Miracoli, Pise

Sur le verdoyant Campo s'élève un ensemble remarquable de bâtiments romans composé du baptistère, de la cathédrale avec sa chaire gothique signée Pisano et du campanile : la célèbre tour penchée *(p. 22-25)*.

6 Duomo de Sienne

L'immense cathédrale colorée abrite des sculptures signées Pisano ou Michel-Ange et une chapelle du Bernin *(p. 26-29)*.

7 Campo et Palazzo Pubblico, Sienne

Cette place inclinée en forme de coquillage est le cœur de Sienne. Le musée du Palazzo Pubblico possède des œuvres inestimables *(p. 30-33)*.

8 La région du Chianti

Une région de collines couvertes de vignobles et de châteaux, parsemée de *trattorie* où l'on peut déguster le plus célèbre des vins italiens *(p. 34-37)*.

9 Cortone (Cortona)

Vestiges médiévaux, chefs-d'œuvre artistiques, vues superbes, vins et céramiques : la Toscane en miniature *(p. 38-41)*.

10 Lucques (Lucca)

Élégante et romantique, la ville est un joyau orné de belles façades et d'arcades, de tours médiévales, de remparts du XVIᵉ s. et de petits parcs *(p. 42-43)*.

Florence et la Toscane Top 10

7

Galleria degli Uffizi, Florence

Le plus beau musée du monde consacré à la Renaissance. Cette période de création artistique sans précédent commence avec Giotto et se poursuit avec Botticelli, Léonard de Vinci, Michel-Ange, Raphaël, Titien, le Caravage... Le musée permet également de découvrir les Offices des Médicis tels que Giorgio Vasari les a conçus. Parfois petites, les salles abritent un nombre impressionnant de chefs-d'œuvre (quelque 1 700 œuvres sont exposées et 1 400 conservées dans les réserves), nécessitant une visite d'au moins une demi-journée.

Entrée

Café

Toilettes

Façade des Offices sur l'Arno

🍴 Un café en terrasse se trouve à l'extrémité de l'aile ouest, au-dessus de la Loggia dei Lanzi.

✎ L'attente pouvant durer des heures, il est préférable de réserver, malgré le supplément.

La galerie des Offices est en rénovation jusqu'en 2013. Se renseigner dans le musée.

• Piazzale degli Uffizi 6 (derrière la Piazza della Signoria) • plan M-N4
• réservation 055 294 883 • www.uffizi. firenze.it • ouv. mar.-dim. 8h15-18h50 (vente des billets terminée 45 min avant la ferm.)
• ferm. 1er janv., 1er mai, 25 déc. • EP.

Les tableaux

1. *La Naissance de Vénus* (Botticelli)
2. *Annonciation* (Léonard de Vinci)
3. *Sainte Famille* (Michel-Ange)
4. *Vierge en majesté* (Giotto)
5. *Bacchus* (le Caravage)
6. *Le Printemps* (Botticelli)
7. Portraits de *Federico da Montefeltro* et de *Battista Sforza* (Piero della Francesca)
8. *Vénus d'Urbino* (Titien)
9. *Madone au long cou* (le Parmesan)
10. *Bataille de San Romano* (Paolo Uccello)

1 La Naissance de Vénus
Ce célèbre tableau de Botticelli (1485) est le chef-d'œuvre incontesté de la Renaissance. La posture de Vénus est classique et son visage aurait les traits de Simonetta Vespucci, cousine de l'explorateur Amerigo Vespucci.

2 Annonciation
C'est l'une des toutes premières œuvres (1475) de Léonard de Vinci. On y remarque déjà son souci du détail dans les drapés et les parterres fleuris. La technique du *sfumato*, caractéristique de l'œuvre de Vinci, estompe les contours, crée une lumière diffuse et une profondeur.

3 Sainte Famille
Ce tableau rond, forme atypique chez Michel-Ange, date de 1504. La torsion du corps alangui de la Vierge et l'utilisation de couleurs éclatantes préfigurent le maniérisme.

Les autres musées de Toscane p. 48-49

Vierge en majesté
Cette *Maestà* de Giotto (1310) est révolutionnaire, surtout comparée aux œuvres de ses contemporains. Sous son habit, le corps de la Vierge prend forme et une certaine perspective naît des personnages qui l'entourent.

Le Printemps
Aussi célèbre que *La Naissance de Vénus*, ce tableau de Botticelli (1478, *ci-dessus*) met en scène Vénus entourée de déesses et de Cupidon. La signification de l'œuvre reste mystérieuse mais certains y voient une allégorie du néoplatonisme.

Federico da Montefeltro et Battista Sforza
Le duc d'Urbino est représenté sans concession, illustrant bien le réalisme de Piero della Francesca.

Madone au long cou
Cette œuvre inachevée du Parmesan (1534) symbolise le maniérisme dans sa forme la plus élégante mais aussi la plus exagérée. Le corps de la Vierge est incroyablement serpentin, et l'Enfant Jésus étrangement surdimensionné. Elle est considérée comme le chef-d'œuvre de l'artiste.

Bataille de San Romano
Maître de la perspective, Paolo Uccello la met en valeur au détriment des sujets traités. Dans ce volet central d'un triptyque (1456, les autres volets sont à Paris et Londres), les lances brisées créent une perspective renforcée par l'arrière-plan construit sous un angle différent.

Bacchus
Ce tableau, l'une des premières œuvres du Caravage (1594), montre déjà la volonté de l'artiste d'allier souci rigoureux du détail et naturalisme truculent. De même, sa fascination précoce pour le contraste équilibré entre l'ombre et la lumière produit déjà son fameux clair-obscur.

Vénus d'Urbino
Souvent copiée aux XVIIIᵉ et XIXᵉ s., cette œuvre de Titien (1538, *ci-dessus*) eut une très grande influence sur la représentation du nu en peinture. Le maître vénitien y joue également avec la lumière et l'ombre, mettant en valeur une Vénus lumineuse sur un arrière-plan foncé.

Suivez le guide
On entre par la gauche, à l'ouest, de la loggia en U qui s'ouvre sur la Piazza della Signoria. Une entrée est réservée aux visiteurs munis de tickets pré-achetés. Les salles se trouvent dans le long corridor du 2ᵉ étage : les salles 2 à 24 dans l'aile est (les salles 10 à 14 ont été réunies depuis longtemps), les salles 25 à 45 dans l'aile ouest. Les salles 36 à 40 sont fermées depuis l'attentat de 1993.

Les autres collections des Offices p. 10-11

Gauche **Annonciation, détail** Centre **Façade des Offices** Droite **La Vierge au chardonneret,** Raphaël

Galleria degli Uffizi : collections

1 Botticelli (salles 10-14)
Détachez votre regard de *La Naissance de Vénus* et du *Printemps* (p. 8-9) pour admirer d'autres chefs-d'œuvre de l'artiste tels *Pallas et le Centaure* et l'*Adoration des Mages,* où Botticelli s'est représenté en jaune sur la droite. Comparez cette *Adoration* avec celle de Filippino Lippi, son disciple, et celle de son contemporain Domenico Ghirlandaio, qui fut le maître de Michel-Ange.

2 Le début de la Renaissance (salles 7-9)
La truculence de Masaccio et l'élégance de Fra Angelico complètent les œuvres de Piero della Francesca et de Paolo Uccello (salle 7). Les idéaux de la Renaissance se retrouvent dans le réalisme des œuvres des

frères Pollaiolo et la fluidité des lignes du plus élégant disciple de Masaccio : Filippo Lippi *(Vierge à l'Enfant, ci-dessous).* Ces salles annoncent la grâce languide de l'élève de Lippi, Botticelli.

3 Les primitifs (salles 2-6)
Dans les premières salles sont exposées les œuvres des peintres dits primitifs, notamment les trois *Vierges en majesté* de Cimabue (d'influence byzantine), de Duccio (école gothique siennoise) et de Giotto (p. 9). L'*Annonciation* de Simone Martini illustre la grâce de la peinture siennoise du XIVe s. Gentile da Fabriano et Lorenzo Monaco donnent un aperçu final et coloré du style gothique médiéval du début du XVe s.

4 Léonard de Vinci (salle 15)
Cette salle rend hommage aux disciples renommés de Verrocchio, tels Lorenzo di Credi, Botticini, le Pérugin (maître de Raphaël) et Léonard de Vinci. Encore apprenti, Vinci réalisa l'ange sur la gauche du *Baptême du Christ* de Verrocchio. Son *Annonciation (p. 8),* son *Adoration des Mages* ainsi que la *Crucifixion avec Marie-Madeleine* de Signorelli sont présentées dans cette salle.

5 La fin de la Renaissance et le maniérisme
(salles 19, 25-32)
Après le Pérugin, Signorelli et la peinture d'Europe du Nord,

Autres artistes toscans **p. 50-51**

Adoration des Mages, Botticelli

Plan des collections

la salle 25 présente les deux grands maîtres de la Renaissance : Michel-Ange et Raphaël. S'inspirant de Michel-Ange, Andrea del Sarto et ses disciples évoluèrent vers le maniérisme, et les maîtres vénitiens (Titien, le Tintoret et Véronèse) explorèrent des couleurs, une lumière et une composition nouvelles.

Italie du Nord et maîtres européens (salles 20-23)
Les maîtres de l'Italie du Nord, tels que Bellini, Giorgione, Mantegna et le Corrège, sont présentés avec leurs contemporains allemands et flamands comme Cranach, Holbein, Dürer et Memling. Le *Portrait du père de l'artiste* est la première œuvre connue de Dürer, qui n'avait alors que 19 ans. Ces salles forment une transition avant d'aborder les collections de la fin de la Renaissance.

Le baroque (salles 33-44)
La collection se distingue surtout par quelques Caravage tels que *Bacchus (p. 9)*, le *Sacrifice d'Isaac* ou la *Méduse*, des autoportraits de Rembrandt et de Rubens, et *Judith et Holopherne* d'Artemisia Gentileschi.

La Tribune (salle 18)
Cette pièce octogonale est ornée d'une coupole de mosaïques de nacre, d'un sol de marbre et d'une table marquetée. Elle fut construite pour Francesco Ier afin d'accueillir la *Vénus de Médicis* et d'autres sculptures. Y sont également exposés des portraits du Bronzino, de Vasari et du Pontormo, et l'*Ange musicien* de Rosso Fiorentino.

Œuvres du corridor en U
Le corridor principal est bordé de statues classiques dont la plupart sont des copies romaines d'œuvres grecques *(ci-contre)*. Les plafonds sont peints à fresque (1581) de grotesques illustrant l'histoire et les personnalités de Florence. La vue depuis le corridor sud est réputée, à juste titre.

Œuvres du corridor Vasari
Le corridor de près de 1 km qui relie les Offices au Palazzo Pitti fut gravement endommagé par l'attentat de 1993. Il présente des œuvres du XVIIe au XXe s. et est ouvert pour les visites guidées, sur réservation.

Autres chefs-d'œuvre toscans **p. 52-53**

⭐10 Piazza del Duomo, Florence

Le gracieux campanile de Giotto et la majestueuse coupole de Brunelleschi, qui couronne la cathédrale, offrent des vues exceptionnelles sur la ville et ses environs. Si la cathédrale abrite de belles fresques de Paolo Uccello, l'architecture de la coupole est étonnante et mérite que l'on y monte. À côté, le baptistère est tout aussi fascinant avec ses mosaïques byzantines scintillantes et la porte du Paradis. Le Museo dell'Opera del Duomo abrite des sculptures de Michel-Ange, Donatello, Ghirlandaio et d'Andrea Pisano.

Coupole du Duomo de Florence

🍴 I Fratellini, via dei Cimatori 38r, une simple niche dans le mur, sert des sandwichs et des boissons aux clients debout sur le pavé.

🕐 Le baptistère ouvrant à midi, mieux vaut visiter la Piazza del Duomo l'après-midi.

Dernier accès à la coupole 40 min avant la fermeture. File d'attente longue, surtout en été.

• Piazza del Duomo
• plan M-N3
• Duomo, ouv. lun.-ven. 10h-17h (jeu. 16h30), sam. et dim. 10h-16h45 (dim. à partir de 13h30)
• baptistère, ouv. lun.-sam. 12h-19h, dim. 8h30-14h
• EP 4 € • musée, ouv. t.l.j. 9h-18h50 (dim. 13h) • EP 6 €
• dôme, lun.-ven. 8h30-19h (sam.17h40)
• EP 8 € • campanile, t.l.j. 8h30-19h30
• EP 6 € • pas de billets groupés.

Les chefs-d'œuvre

1. Duomo : la coupole
2. Baptistère : la porte du Paradis
3. Baptistère : les mosaïques
4. Museo dell'Opera del Duomo : la *Pietà* de Michel-Ange
5. Le campanile de Giotto
6. Duomo : fresque de Giovanni Acuto
7. Museo dell'Opera del Duomo : Habacuc
8. Duomo : Nouvelle Sacristie
9. Museo dell'Opera del Duomo : l'autel
10. Baptistère : la porte nord

Duomo : la coupole

Commencée en 1420 par Brunelleschi, c'est une double coque autoportante formée de rangées concentriques de pierres et de briques. L'ascension jusqu'à la lanterne de marbre permet de jouir d'une vue splendide sur la ville.

Baptistère : la porte du paradis

Ces panneaux de bronze doré, sculptés de 1425 à 1452 *(droite)* par Lorenzo Ghiberti, sont d'un réalisme extraordinaire. Michel-Ange déclara qu'ils étaient dignes des portes du Paradis, et le nom est resté. Les panneaux originaux sont conservés au Museo dell'Opera del Duomo.

Baptistère : les mosaïques

Sur la coupole, les mosaïques du XIIIe s. évoquent la Genèse, la vie du Christ, l'histoire de Joseph et de saint Jean-Baptiste.

Les autres églises de Florence p. 44-45

5 Le campanile de Giotto

Commencé par Giotto (1334-1337), il fut achevé par Andrea Pisano et Francesco Talenti, à qui l'on doit les trois derniers étages. 414 marches permettent d'accéder à son sommet, situé à 85 m.

6 Duomo : fresque de Giovanni Acuto

Maître de la perspective, Paolo Uccello réalisa cette fresque en trompe l'œil en 1436. C'est un portrait équestre à la gloire du condottiere John Hawkwood, un mercenaire anglais au service de Florence.

7 Museo dell'Opera del Duomo : Habacuc

L'un des prophètes que Donatello sculpta pour le campanile est surnommé *Lo Zuccone* (tête de courge).

8 Duomo : Nouvelle Sacristie

Les portes de bronze et la lunette de terre cuite furent réalisées au XVe s. par Luca Della Robbia. C'est ici que Laurent de Médicis se réfugia pour échapper à la conjuration des Pazzi en 1478. Très belles armoires marquetées.

Museo dell'Opera : la Pietà de Michel-Ange

Cette *Pietà,* sculptée vers 1550, est restée inachevée. Michel-Ange, qui en était mécontent, aurait cherché à la détruire.

Plan du Duomo

9 Museo dell'Opera del Duomo : l'autel

La statuaire d'argent et d'or de cette œuvre destinée au baptistère fut réalisée de 1366 à 1480, notamment par Verrocchio, Antonio del Pollaiolo et Michelozzo.

Lorenzo Ghiberti

10 Baptistère : la porte nord

Lorenzo Ghiberti remporta en 1401 le concours pour la réalisation de ces 28 panneaux de bronze (1403-1424), qui sont considérés comme la première œuvre de la Renaissance.

Histoire du Duomo

Fondé au VIe s., le baptistère n'est achevé qu'au XIVe s. En 1294 débute l'édification de la cathédrale par Arnolfo di Cambio à l'emplacement d'une basilique romaine dont seule subsiste la crypte de Santa Reparata. Achevée en 1417, la coupole (1420-1436) de Brunelleschi vient ensuite la coiffer, surmontée d'une balle de bronze réalisée par Verrocchio. Enfin, la marqueterie en marbre de la façade est ajoutée à la fin du XIXe s.

Les autres églises de Toscane p. 46-47

Palazzo Pitti, Florence

Ancienne résidence des Médicis, ce palais est un véritable trésor. On peut y visiter les appartements royaux, plusieurs musées (d'Art moderne, du Costume, de l'Argenterie, de la Porcelaine) et surtout la magnifique galerie Palatine ornée de fresques de Pietro da Cortona. La richesse de sa collection rivalise avec celle des Offices, notamment par le nombre et la qualité des œuvres de Raphaël et de Titien. Les œuvres majeures sont bien indiquées, mais l'accrochage est resté fidèle aux goûts du XIXe s.

Façade du Palazzo Pitti

Le bar à vins *Pitti Gola e Cantina*, Piazza Pitti 16, propose aussi une restauration légère.

Les pique-niques sont interdits dans les jardins de Boboli.

Si vous avez apprécié la table en *pietre dure* du Palazzo Pitti *(p. 17)*, une version moderne existe à la boutique *Pitti Mosaici* sur la Piazza Pitti.

• Piazza dei Pitti
• plan L5 • galerie Palatine et appartements royaux : 055 294 883, ouv. mar.-dim. 8h15-18h50
• musée du Costume, ouv. t.l.j. 9h-18h50, ferm. les 2e et 4e dim. et 1er et dernier lun. du mois
• musées de la Porcelaine, de l'Argenterie et Jardins de Boboli, ouv. nov.-fév. : 8h15-16h30 ; mars : 8h15-17h30 ; avr., mai et sept.-oct.: 8h15- 18h30 ; juin-août : 8h15-19h30, t.l.j. ferm. 1er et der. lun. du mois • EP.

Palazzo Pitti

1. *Femme au voile* (Raphaël)
2. *Conséquences de la guerre* (Rubens)
3. *Marie-Madeleine* (Titien)
4. Jardins de Boboli
5. *Vierge à l'Enfant* (Lippi)
6. *Trois Âges de l'homme* (Giorgione)
7. Salle Verte des appartements royaux
8. Cour d'Ammannati
9. *Rotonda di Palmieri* (Fattori)
10. Grotta Grande

1 Femme au voile

Raphaël a peint de nombreux portraits de femmes dont les plus beaux sont exposés ici. La *Femme au voile* (1516) est un chef-d'œuvre qui illustre sa maîtrise de la couleur, de la lumière et de la forme. Il s'agit vraisemblablement de la Fornarina, la maîtresse de l'artiste.

2 Conséquences de la guerre

Vénus tente d'arrêter Mars sur le chemin de la guerre, alors que le Destin l'y pousse (1638, *droite*). Dans cette œuvre, Rubens dénonce la guerre de Trente Ans qui ravage l'Allemagne.

3 Marie-Madeleine

Ce portrait sensuel (1535) évoque l'un des personnages favoris de Titien.

4 Jardins de Boboli

Dessinés à la Renaissance, ces jardins à l'italienne sont ornés de statues et fontaines baroques et rococo.

Vierge à l'Enfant

5 En plaçant le visage de la Vierge au centre de son tableau (1450), Filippo Lippi crée une composition d'une grande unité où l'arrière-plan évoquant la vie de la Vierge complète la scène principale.

Légende du plan

	Galerie Palatine
	Palais
	Jardins

Trois Âges de l'homme

6 Cette œuvre allégorique de 1500 est souvent attribuée à Giorgione. Elle révèle un sens aigu de la composition et de la couleur. On peut la comparer avec les *Quatre Âges de l'homme* (1637), une fresque baroque de Pietro da Cortona au plafond de la Sala della Stufa.

Salle Verte, les appartements royaux

7 C'est la pièce la mieux conservée des appartements royaux. Elle abrite un mobilier somptueux, notamment un cabinet d'ébène marqueté de bronze. Le plafond est décoré de stucs en trompe l'œil et d'une fresque de Luca Giordano.

Cour d'Ammannati

8 L'architecture maniériste, solide et surchargée, prolonge la Renaissance. Cette cour théâtrale (1560-1570) de Bartolomeo Ammannati renvoie pesamment aux ordres classiques.

Rotonda di Palmieri

9 Au 2e étage, le chef-d'œuvre de la galerie d'Art moderne est une œuvre de Giovanni Fattori (1866) qui fut le plus grand des Macchiaioli, un mouvement du XIXe s. né à Florence et proche de l'impressionnisme.

Grotta Grande

10 Une grotte maniériste, ornée de statues de Giambologna, ainsi que de copies des *Esclaves* de Michel-Ange.

Suivez le guide

L'entrée se trouve dans la cour d'Ammannati. Le guichet est à droite du Palazzo Pitti. La galerie Palatine et les appartements royaux sont au 1er étage, mais visitez d'abord la première. L'entrée des jardins de Boboli est au fond sur la droite. Autres collections : la galerie d'Art moderne (2e étage), le musée du Costume (dans la Meridiana, entrée aussi par les jardins), le musée de l'Argenterie (rez-de-chaussée), le musée des Carrosses (aile gauche, actuellement fermé) et le musée de la Porcelaine (dans un bâtiment en haut des jardins).

La dynastie des Médicis p. 54-55

Gauche **Gallerie Palatine** Centre **Cour d'Ammannati** Droite **Façade du Palazzo Pitti**

🔟 Palazzo Pitti : Gallerie Palatine

1 Sala di Giove

C'est dans cette salle que se trouvent la belle *Femme au voile* de Raphaël et les *Trois Âges de l'homme* de Giorgione. Parmi les chefs-d'œuvre de la Renaissance, on peut admirer la composition subtile de la *Vierge au sac* du Pérugin et un petit *Saint Jérôme* attribué à Verrocchio ou à Piero del Pollaiolo. Un *Saint Jean-Baptiste* de style classique (1523) est d'Andrea del Sarto, dont l'*Annonciation* (1512) préfigure le maniérisme. La belle *Déposition* (1516) de Fra Bartolomeo et le portrait de *Guidobaldo Della Rovere* (1532) du Bronzino annoncent le baroque.

2 Sala di Saturno

Les œuvres de Raphaël sont présentées ici, de la *Madone du grand-duc* (1505) à la *Vision d'Ézéchiel* (1518). Parmi les portraits, remarquez *Maddalena Doni* (1506), inspirée de *La Joconde*, qui influença grandement l'art du portrait de la Renaissance. Le Pérugin, maître de Raphaël, a peint une *Descente de Croix* (1495) d'une composition surprenante. On trouve également le *Christ ressuscité parmi ses disciples* (1516) de Fra Bartolomeo, ainsi que l'*Annonciation* et la *Dispute sur la Trinité* (1517) d'Andrea del Sarto.

3 Sala di Apollo

C'est ici que sont exposées les œuvres de Titien. *Marie-Madeleine (ci-dessous)* se trouve près du *Portrait d'un gentilhomme* (1540). D'autres œuvres importantes sont également présentées, comme la *Descente de Croix* (1522) et la *Sainte Famille* (1523) d'Andrea del Sarto. La *Vierge en trône et saints* (1522) du maniériste Rosso Fiorentino, disciple d'Andrea del Sarto, représente une très belle femme au premier plan. Le style plus classique de Guido Reni *(Cléopâtre)* et de Guercino *(Résurrection de Tabitha)* permet d'appréhender la naissance du baroque.

4 Sala di Venere

Au centre de la pièce se trouve une *Vénus* sculptée par Canova pour remplacer l'original, emporté par Napoléon Ier, qui est aujourd'hui aux Offices. Titien est la vedette incontestée de cette salle avec *Le Concert* (1510), autrefois attribué à Giorgione, le *Portrait de Jules II* (1545) d'après Raphaël, et le célèbre *Portrait de Pierre Arétin* (1545). Le bucolique *Retour des paysans* de Rubens est souvent négligé.

Sala di Marte
Rubens est ici à l'honneur avec les *Conséquences de la guerre* (1638) et *Les Quatre Philosophes* (1612) où il s'est représenté avec son frère (à l'extrême gauche). La belle collection de portraits comprend un *Portrait de jeune homme* (1550) de Véronèse, le vibrant *Luigi Cornaro* (1560) du Tintoret, *Hippolyte de Médicis* (1532) de Titien, et le *Portrait du cardinal Bentivoglio* de Van Dyck.

Autres salles
Même si les signatures sont celles du Tintoret, de Rubens, de Botticelli ou du Pontormo, les œuvres sont moins exceptionnelles, excepté la *Madonna dell'Impannata* (1514) de Raphaël, et la *Vierge à l'Enfant* (1450) de Filippo Lippi, l'œuvre la plus ancienne du musée. Il est intéressant de comparer la *Sainte Famille* de Signorelli, qui influença celle de Michel-Ange exposée aux Offices, avec celle, maniériste, de Beccafumi.

Sala dell'Iliade
La *Femme enceinte* (1506) de Raphaël, un portrait singulier, est le chef-d'œuvre de cette salle. On y découvre aussi deux *Assomption* (1523 et 1526) d'Andrea del Sarto, et des

Plan de la Gallerie Palatine

œuvres intéressantes d'Artemisia Gentileschi, une artiste baroque qui représenta le plus souvent des personnages bibliques, telles *Marie-Madeleine et Judith*.

Galleria delle Statue
Ce vaste hall d'entrée présente des expositions temporaires, même si certaines œuvres sont là depuis un long moment, tels un violent mais remarquable Caravage, et une *Résurrection* de Rubens. Ne manquez pas la magnifique table de *pietre dure*, du XIXe s., qui illustre bien l'art florentin de la marqueterie.

Sala dell'Educazione di Giove
Ne manquez pas l'*Amour dormant* (1608) du Caravage, une œuvre tardive d'un beau clair-obscur, et *Judith et Holopherne* de Cristofano Allori dont chaque visage est un portrait. Judith a les traits de la maîtresse de l'artiste, la vieille femme ceux de sa mère, et la tête décapitée d'Holopherne est un autoportrait.

Venus, **Sala di Venere**

Sala della Stufa et salle de bains de Napoléon
Cette salle est décorée de fresques de Pietro da Cortona et d'un pavement de majolique de 1640. La salle de bains, de stucs et de marbre (1813), était destinée à Napoléon Ier.

 Florence p. **76-83**

TOP 10 San Gimignano

Boutiques de souvenirs mises à part, ce beau village piétonnier des collines toscanes semble tout droit sorti du Moyen Âge. Son nom est en fait San Gimignano delle Belle Torri, en raison des 70 tours qui attestaient autrefois sa puissance et sa richesse. Il en reste aujourd'hui 14, superbes. Bien que petit, le village abrite de nombreux trésors artistiques des XIVe et XVe s., ainsi que des œuvres modernes au détour de ses ruelles. De plus, la vernaccia, le vin blanc de la région, est excellent.

Piazza della Cisterna

Plafond de la Collegiata

🍴 Le bar *I Combattenti* (via San Giovanni 124) sert les meilleures glaces de la ville.

❂ Les cars de tourisme quittant la ville vers 17 h, rien n'est plus agréable que d'y passer la soirée, sinon la nuit.

• Plan D3 • office de tourisme : Piazza del Duomo 1 • 0577 940 008 • www.sangimignano. com
• Collegiata, ouv. t.l.j. (ferm. 27 janv.-28 fév.) ; EP 3,50 € • Museo Civico, ouv. t.l.j. ; EP 5 € • Museo della Tortura, ouv. t.l.j. ; EP 10 €
• Museo Archeologico, ouv. mars-oct. t.l.j. ; EP 3,50 € • Museo d'Arte Sacra, ouv. mars-déc. t.l.j. ; EP 3 € • achat de billets groupés à l'office de tourisme.

Les sites

1. Collegiata
2. Torre Grossa
3. Museo Civico
4. Piazza della Cisterna
5. Sant'Agostino
6. Museo della Tortura
7. Museo Archeologico
8. Museo d'Arte Sacra
9. Rocca
10. Façade de San Francesco

1 Collegiata
La façade cache un intérieur couvert de fresques. Lippo Memmi a réalisé celles de droite (1333-1341), Bartolo di Fredi celles de gauche (1367), Taddeo di Bartolo le *Jugement dernier* de la nef (1410) et Benozzo Gozzoli le *Martyre de saint Sébastien* au revers de la façade (1464). Les fresques de la chapelle sont de Ghirlandaio (1475).

2 Torre Grossa
N'hésitez pas à monter au sommet de cette tour de 54 m, la plus haute, d'où la vue sur les autres tours, les toits de tuiles et les collines environnantes est absolument magique.

3 Museo Civico
Le plus beau musée de San Gimignano est au 1er étage du Palazzo del Popolo, au-dessous de la Torre Grossa. La collection se compose d'œuvres du Pinturicchio (*Vierge avec saint Grégoire et saint Benoît*, 1511), Filippino Lippi, Benozzo Gozzoli et Lippo Memmi (*Vierge en majesté*). Les fresques nuptiales de Memmo di Filippuccio, qui représentent *Le Bain* et *Le Coucher* de deux jeunes époux, sont d'un érotisme singulier pour le XIVe s.

4 Piazza della Cisterna

Cette place triangulaire *(gauche)*, pavée de briques en arête de poisson, est bordée de demeures des XIIIe et XIVe s. Elle doit son nom au puits de pierre *(cisterna)* de 1237 qui se trouve en son centre.

7 Museo Archeologico

La petite collection étrusque comprend une urne funéraire coiffée de l'effigie alanguie du défunt. Ce dernier tient une tasse avec une pièce pour acquitter le droit d'entrée dans l'autre monde.

9 Rocca

La forteresse, aujourd'hui en ruines et couverte d'oliviers, date du XIVe s. N'hésitez pas à en escalader les remparts pour jouir d'une vue splendide sur les tours de la ville.

10 Façade de San Francesco

La façade romane d'une église disparue est coincée entre des bâtiments médiévaux. Une *cantina* propose des dégustations de vins, et une terrasse ombragée offre un beau panorama.

5 Sant'Agostino

Cette petite église possède un retable de Piero del Pollaiolo (1483) et une abside ornée de fresques étranges et colorées de Benozzo Gozzoli, évoquant la *Vie de saint Augustin* (1465). Dans l'aile ouest, le tombeau de San Bartolo (1488) est de Benedetto da Maiano.

6 Museo della Tortura

Une série de sinistres instruments de torture est exposée dans la Torre della Diavola. Des panneaux en présentent le mode d'emploi et dressent un panorama de la torture et de la peine de mort dans le monde.

8 Museo d'Arte Sacra

Ce modeste musée d'Art sacré *(ci-dessous)* se trouve sur une jolie place à l'arrière de la Collegiata. Les chefs-d'œuvre de la collection sont une *Vierge à l'Enfant* de Bartolo di Fredi et des psautiers enluminés du XIVe s.

Histoire de San Gimignano

Ancien site étrusque, la ville devient florissante au Moyen Âge grâce à sa position stratégique sur la Francigena, empruntée par les pèlerins allant à Rome. Des familles rivales y érigent des tours protectrices lors des conflits opposant guelfes et gibelins. Affaiblie par la peste de 1348, la ville tombe aux mains des Florentins, perdant toute influence. Oubliée et isolée, elle a conservé son caractère médiéval.

Florence et la Toscane Top 10

Pages suivantes **Vue aérienne de San Gimignano**

🔟 Campo dei Miracoli, Pise

Le « champ des Miracles » de Pise est l'une des places les plus magnifiques d'Italie avec sa pelouse verdoyante où s'élèvent les chefs-d'œuvre de l'art romano-pisan que sont la cathédrale, le baptistère, le Camposanto et le campanile, la célèbre tour penchée. À l'est se dresse l'ancien palais épiscopal qui abrite désormais le Museo dell'Opera del Duomo. Au sud, entre deux des nombreuses boutiques de souvenirs bordant la place, un passage permet d'accéder au Museo delle Sinopie, où l'on peut admirer les immenses esquisses préparatoires des fresques détruites du Camposanto.

La tour penchée

📍 *Il Canguro*, via Santa Maria 151, est l'endroit idéal pour acheter une boisson ou un *panino* que vous savourerez sur la pelouse du Campo dei Miracoli.

📍 Vérifiez les horaires, variables, auprès de l'office de tourisme.

Le Duomo est fermé le dimanche, mais rien ne vous empêche d'assister à la messe.

• Plan C3 • office de tourisme : Via Cammeo 2 • 050 560 464 • Campo dei Miracoli : 050 835 011 • www.opapisa.it • Duomo, ouv. lun.-sam. ; 2 € (EG nov.-fév.)• baptistère, ouv. t.l.j. ; 5 € • Camposanto, ouv. t.l.j. ; 5 € • Museo del Duomo, ouv. t.l.j. ; 5 € • Museo delle Sinopie, ouv. t.l.j. ; 5 € • tour : 15 € (autres sites : 5 € pour un, 6 € pour deux, 8 € pour quatre) ; remparts : 2 €.

Les sites

1. Tour penchée
2. Baptistère
3. Chaire du baptistère
4. Façade du Duomo
5. Porta di San Ranieri du Duomo
6. Chaire du Duomo
7. Camposanto
8. Fresques du Camposanto, *Le Triomphe de la Mort*
9. Museo dell'Opera del Duomo
10. Museo delle Sinopie

Tour penchée
Commencé en 1173, ce campanile de style roman se mit à pencher dès 1178, la nature sablonneuse du terrain ne pouvant supporter le poids de l'édifice. Achevée en 1350, la tour continua de s'incliner de 1 à 2 mm par an. Fermée en 1990, elle a rouvert en 2001 après des travaux de stabilisation (vis. guid. de 30 min, max. 30 personnes).

Baptistère
Si la partie inférieure de ce baptistère *(droite)* commencé en 1153 est romane, les pinacles et la coupole sont gothiques. Il abrite une splendide chaire gothique.

Chaire du baptistère
Sculptée par Pisano, inspirée des sarcophages romains du Camposanto, la chaire (1255-1260, *ci-dessus*) évoque la vie du Christ.

Façade du Duomo
La façade romane de marbre coloré *(ci-dessus)* se compose de galeries à colonnettes. Les portes de bronze, dessinées par Giambologna, ont remplacé celles qui furent détruites par un incendie en 1595.

5 Porta di San Ranieri du Duomo

L'architecte Buscheto sculpta en 1180 la seule porte romane en bronze qui subsiste de la cathédrale de Pise. Avec une grande liberté, ses vantaux évoquent des scènes de la vie du Christ, traitées non sans une certaine naïveté.

6 Chaire du Duomo

Sculptée de 1302 à 1311 par Giovanni, fils de Nicola Pisano, cette chaire illustre des scènes du Nouveau Testament avec un certain réalisme, lequel reflète l'influence de Giotto, contemporain de l'artiste.

Plan du Campo dei Miracoli

7 Camposanto

Cet ancien cimetière, créé en 1277, abrite des sarcophages romains. Ses murs étaient recouverts de fresques admirables, pour la plupart détruites en 1944. Celles qui ont été sauvées sont exposées dans une petite salle.

9 Museo dell'Opera del Duomo

La riche collection comprend un étrange griffon islamique du XIe s. *(ci-dessus)*, rapporté des croisades, qui ornait autrefois la coupole de la cathédrale. Belle vue sur la tour penchée.

10 Museo delle Sinopie

Les *sinopie,* esquisses rouges, furent retrouvées sous les fresques endommagées du Camposanto. Ces préparations offrent un aperçu du travail des artistes du Moyen Âge.

8 Camposanto, Le Triomphe de la Mort

Cette fresque *(gauche)* fait partie d'un cycle attribué à Buffalmacco. Elle représente la Mort chevauchant dans un paysage apocalyptique. Liszt s'en est inspiré pour composer son concerto *Totentanz.*

S'orienter

À quelques minutes de marche de la gare de Pisa-San Rossore, le Campo est aussi desservi par les bus 1, 3 et 11. Le tarif des visites varie en fonction des types de billets, et plusieurs options sont possibles : le Duomo seul, un à cinq sites sauf le Duomo et la Tour, tous les sites sauf le Duomo et la Tour, ou encore la Tour seule.

G. **S. Caterina** Centre g. **Piazza dei Cavalieri** Centre dr. **Marché Vettovaglie** Dr. **Museo San Matteo**

🔟 Les sites de Pise

1 Museo San Matteo

Cette remarquable collection d'œuvres pisanes des XIIIe-XVe s. présente notamment un magnifique polyptyque de Simone Martini (1321, *ci-dessus*), une *Vierge allaitant* de Nino Pisano, le buste de San Rossore de Donatello et des œuvres de Masaccio, Fra Angelico, Gozzoli, Lorenzo di Credi et Ghirlandaio.

2 Santa Maria della Spina

Construite de 1230 à 1323 par Giovanni et Nino Pisano, cette église gothique ciselée de pinacles *(droite)* abrite une épine de la couronne du Christ, rapportée par un croisé.

3 Marché de la Piazza Vettovaglie

La Piazza Vettovaglie, une ravissante place ornée d'arcades, accueille un marché en plein air, coloré et animé.

4 Piazza dei Cavalieri

Située sur l'ancien forum romain, cette place est bordée du Palazzo dei Cavalieri dont la façade est signée Vasari (1562), de l'église baroque Santo Stefano et du Palazzo dell'Orologio. C'est dans la tour de ce dernier que le comte Ugolino della Gherardesca, immortalisé par Dante et Shelley, fut condamné en 1288, pour trahison, à mourir de faim avec ses enfants.

5 Le Navi Antiche di Pisa

Dix navires romains, qui coulèrent vraisemblablement lors d'une crue ou d'une tempête, furent découverts en 1998 lors des travaux d'agrandissement de la gare de San Rossore, à l'emplacement de l'ancien port de Pise. Ils sont exposés avec leurs cargaisons à l'Arsenale Medici.

Boutiques et restaurants **p. 110-111**

Santa Caterina

Derrière sa façade gothique (1330), l'église abrite une *Annonciation* et le tombeau de Simone Saltarelli (1342), sculptés par Nino Pisano, et l'*Apothéose de saint Thomas d'Aquin* par Francesco Triani (1350).

San Paolo a Ripa d'Arno

L'église (805), possède une belle façade remaniée au XIIIe s. *(gauche)*. La chapelle Sant'Agata se trouve à l'arrière.

Tenuta di San Rossore

Une réserve zoologique en bord de mer, peuplée de sangliers, de cerfs et d'oiseaux. C'est ici que s'échoua le corps du poète Shelley, en 1822.

Certosa di Calci

Cette chartreuse de 1366, à 12 km à l'est de la ville, abrite des chapelles et des cloîtres décorés de fresques baroques.

San Nicola

Bramante s'inspira de l'escalier du campanile de cette église *(droite)* pour construire celui du Vatican.

La tour penchée

Le symbole le plus célèbre d'Italie penche de 4,50 m par rapport à son

Le clocher

axe vertical théorique. Le problème vient du fait que cette tour de marbre de 55 m de hauteur repose sur un terrain sablonneux, marécageux et instable.

Ce mouvement est constaté dès 1178, lors de la construction du troisième étage. Les travaux sont interrompus jusqu'en 1275. En 1990, la tour est fermée au public car l'effondrement paraît imminent. Elle est alors ceinturée de câbles d'acier, puis du béton armé est injecté pour renforcer sa base et essayer de contrebalancer l'inclinaison. Depuis sa réouverture en 2001, seules les visites accompagnées sont autorisées. En 2008, il a été estimé que la tour devrait rester stable pendant encore deux cents ans.

Clocher (1360)

Partie achevée en 1275-1284

Niveau de la construction en 1185

Fondations de 1173

Les fondations de la tour

La tour repose sur un socle de pierre. En 1836, on essaya de dégager les fondations, mais l'inclinaison s'accentua. Une gaine en béton armé a été installée.

Le nord-ouest de la Toscane p. **106-111**

🔟 Duomo, Sienne

L'imposante cathédrale de Sienne (Siena) est un véritable trésor où se mêlent chefs-d'œuvre gothiques, Renaissance et baroques. Si la partie inférieure est romane, l'ensemble forme l'un des plus beaux exemples de style gothique en Italie. Le baptistère, le Museo Metropolitana et l'hôpital Santa Maria della Scala qui l'entourent sont tout aussi fascinants. Dans ce dernier, de l'autre côté de la place, la salle des Pèlerins est ornée de fresques du XVᵉ s. illustrant la vie d'un hôpital au Moyen Âge.

Façade du Duomo

🍞 *Bini,* situé via del Fusari 9-13, est une boulangerie traditionnelle qui propose de délicieuses pâtisseries siennoises depuis 1943.

✏️ Les panneaux du pavement réalisés par Beccafumi sont recouverts, mais on peut voir les dessins préparatoires à la Pinacoteca *(p. 87).*

Un billet combiné permet de visiter la bibliothèque, le Museo Metropolitana et le baptistère. (De tels billets existent aussi pour les autres sites de Sienne.)

• Sites ouv. t.l.j. : Duomo et bibliothèque, lun.-sam. 10h30-19h30, dim. 13h30-17h30 (juin-août jusqu'à 20h) ; Museo, 9h30-19h (juin-août jusqu'à 20h) ; baptistère 9h30-19h (juin-août jusqu'à 20h) ; Santa Maria della Scala, 10h30-18h30 • bibliothèque : EP 3 €.

Les chefs-d'œuvre

1. Chaire de Pisano
2. Bibliothèque Piccolomini
3. Pavement
4. Façade
5. Autel Piccolomini
6. Chapelle Chigi
7. Chapelle San Giovanni
8. Vitrail de Duccio
9. Chœur
10. Campanile

Chaire de Pisano
Ce chef-d'œuvre de la sculpture gothique a été réalisé par Nicola Pisano, son fils Giovanni et Arnolfo di Cambio. Cette chaire évoque la vie du Christ avec une grande puissance dramatique.

Pavement

Bibliothèque Piccolomini
Elle fut construite pour abriter les psautiers et manuscrits du pape Pie II Piccolomini, originaire de Sienne. Les superbes fresques du Pinturicchio (1507, *gauche*) content sa vie avec talent.

Pavement

3 Si tous les panneaux ne sont découverts qu'en septembre, certains sont néanmoins visibles toute l'année. De 1372 à 1547, les plus grands artistes siennois y ont travaillé, tel Matteo di Giovanni, dont le *Massacre des Innocents (ci-dessous)* est remarquable.

Façade

4 Giovanni Pisano a dessiné cette façade *(droite)* en 1285 et l'a ornée de statues dont les originaux sont au Museo Metropolitana. La mosaïque de la partie supérieure fut réalisée au XIXe s. par des artisans vénitiens.

Autel Piccolomini

5 Une *Vierge à l'Enfant* (1397-1400) de Jacopo della Quercia et quatre petites statues de saints (1501) du jeune Michel-Ange ornent l'autel de marbre (1480) réalisé par Andrea Bregno.

Chapelle Chigi

6 Entièrement baroque, cette chapelle fut dessinée en 1659 par le Bernin. Un retable du XIIIe s. représente la *Vierge du vœu*, gardienne de Sienne, aux pieds de laquelle les autorités déposaient les clés de la ville en temps de crise. Sa protection semble avoir toujours été efficace.

Chapelle San Giovanni

7 Cette chapelle Renaissance, réalisée par Giovanni di Stefano (1492), est décorée de fresques du Pinturicchio et d'un *Saint Jean-Baptiste* de bronze de Donatello (1457).

Vitrail de Duccio

8 Le vitrail de la Vierge qui orne la fenêtre ronde de l'abside est l'un des plus anciens vitraux d'Italie (1288). Atteignant les 6 m de diamètre, il a été réalisé d'après un carton de Duccio di Buoninsegna, le grand maître gothique du début de l'école siennoise.

Plan du Duomo

Chœur

9 Les splendides stalles de bois ouvragées datent des XIVe-XVIe s., l'autel de marbre est de Baldassare Peruzzi (1532), et les candélabres de Beccafumi qui a peint également la fresque de l'Ascension dans l'abside (1548-1551).

Campanile

10 Achevé en 1313, le campanile est purement roman. Il est d'une grande sobriété avec ses bandes noir et blanc.

Histoire du Duomo

La cathédrale fut construite pour l'essentiel entre 1215 et 1263 par Nicola Pisano, dont le fils Giovanni réalisa la façade. En 1339 est entreprise l'édification d'une nef gigantesque qui aurait fait du transept du Duomo le plus grand parmi les cathédrales de la chrétienté. La peste noire de 1348 fit évanouir ce fol espoir, et la nef resta inachevée. Elle abrite aujourd'hui le Museo Metropolitana, et sa « façade » est une terrasse panoramique.

Les autres églises de Toscane **p. 44-47**

Gauche **Fresque du Pinturicchio, Duomo** Centre **Sculpture du Duomo** Droite **Façade du Duomo**

Sur la Piazza del Duomo

1 Museo Metropolitana : Maestà de Duccio
C'est le chef-d'œuvre de l'école gothique siennoise. Quand Duccio l'eut terminée en 1311, les Siennois la portèrent en procession sur l'autel du Duomo.

2 Fonts baptismaux (1417-1430)
Les panneaux de bronze évoquant la vie de saint Jean-Baptiste furent réalisés avant la découverte de la perspective.

3 Museo Metropolitana : « façade »
Le musée se trouve dans la partie de la nef inachevée de la cathédrale *(p. 27)*. Un escalier permet d'accéder au sommet de ce qui devait être la façade, la vue sur la ville y est splendide.

4 Museo Metropolitana : Vierge à l'Enfant
Donatello utilise ici sa technique du *schiacciato* : un arrière-plan

Santa Maria della Scala

Plan de la Piazza del Duomo

en perspective avec un haut-relief peu saillant. Le but est de créer l'illusion d'une grande profondeur sur une surface presque plane.

5 Santa Maria della Scala : Sala del Pellegrinaio
La salle de cet ancien hôpital est ornée de fresques peintes par Domenico di Bartolo vers 1440. L'allégorie des orphelins montant l'échelle *(scala)* qui conduit au Paradis est de Vecchietta.

6 Museo Metropolitana : Nativité de la Vierge
Dans cette œuvre gothique très colorée et délicate, Pietro Lorenzetti utilise de vraies arcades pour peindre un plafond voûté en trompe l'œil, créant une sensation d'espace infini.

7 Baptistère : fresques de la voûte
N'hésitez pas à lever la tête pour contempler ces fresques fraîches et colorées de

L'art et les artistes toscans p. 50-51

Vecchietta (vers 1440), où l'on remarque le soin extrême apporté au moindre détail.

Museo Archeologico
Il propose une petite collection comprenant des vases grecs d'Italie du Sud, des urnes d'albâtre étrusques et des pièces de monnaie.

Santa Maria della Scala : Rencontre d'Anne et de Joachim
Cette fresque de 1512, nimbée d'une lumière irréelle, est une œuvre typique du peintre maniériste Beccafumi.

Symbole solaire, Piazza del Duomo

Santa Maria della Scala : Oratorio di Santa Caterina della Notte
Cet oratoire, au sous-sol, possède un somptueux retable gothique (1400) de Taddeo di Bartolo.

Reliques en Toscane

1 Ceinture de la Vierge (Prato, Duomo, p. 47)
2 Crucifix dit le *Volto Santo* (Lucca, Duomo)
3 Épine de la couronne du Christ (Pise, Santa Maria della Spina)
4 Vierge du vœu (Sienne, Duomo)
5 Tête de sainte Cécile (Sienne, San Domenico)
6 Crucifix (Florence, Santa Trinità)
7 Morceau de la Vraie Croix (Impruneta, Collegiata)
8 Rocher à l'épée (San Galgano, p. 114)
9 Côte de dragon (Tirli)
10 Doigt de Galilée (Florence, Museo di Storia della Scienza)

La ceinture de la Vierge
L'Italie, patrie de l'Église catholique romaine, est riche d'objets « miraculeux ». Ci-contre, une ceinture qu'aurait portée la Vierge est apportée en Italie par bateau en 1141.

Miracles et reliques

La nef de Santa Trinità

Les miracles ont ponctué l'histoire de ce pays chrétien, profondément attaché à ses saints et à ses reliques. Quand le Christ de Santa Trinità, à Florence, inclina la tête devant le noble Giovanni Gualberto en 1028, ce dernier fonda l'ordre monastique de Vallombrosa. Les pouvoirs miraculeux d'images de la Vierge sur le pilier d'un entrepôt à Florence et dans une prison de Prato sont à l'origine de la fondation des églises d'Orsanmichele et de Santa Maria delle Carceri. Le croisé qui rapportait la ceinture de la Vierge, égoïstement cachée sous son matelas, vit des anges soulever son lit pour apporter la relique à l'évêque de Prato. L'abbaye de San Galgano conserve l'épée du saint enfoncée dans le rocher après que celui-ci eut tenté de la briser, avant de devenir ermite.

🔟 Campo et Palazzo Pubblico, Sienne

La Piazza del Campo, surnommée « Il Campo », est l'une des plus belles places d'Europe. Construite sur l'ancien forum romain, elle fut le centre de la vie publique de Sienne et demeure un endroit de promenade privilégié. Le Palazzo Pubblico, qui abrite le Museo Civico (p. 32-33), et sa tour y furent érigés en 1297. Les autres édifices, construits en demi-cercle, respectent l'harmonie de la place. C'est sur le Campo que, deux fois par an, se déroule le Palio, une course de chevaux montés à cru (p. 66-67).

Vue aérienne du Campo

🅞 **Les cafés et restaurants qui bordent le Campo sont plutôt chers, mais leurs terrasses sont très agréables.** *Nannini,* **le plus grand café de la ville, est au nord du Campo, via Banchi di Sopra 22-24.**

🅖 **En bas de la via di Salicotto, sur la gauche, se trouve une épicerie minuscule, l'endroit idéal pour acheter de quoi grignoter avant de s'installer sur le Campo.**

• *Office de tourisme : Piazza del Campo 56 ; 0577 280 551 ; www.comune.siena.it*
• *Palazzo Pubblico (et Museo Civico), ouv. t.l.j. 10h-19h (hiver 10h-17h30) ; EP 7,50 €*
• *Torre del Mangia, ouv. t.l.j. 10h-16h (mi-mars à oct. 10h-19h) ; EP 7 €*
• *Palazzo Piccolomini, ouv. lun.-sam. 9h-13h.*

Les sites

1. Palazzo Pubblico : cycle de fresques
2. Palazzo Pubblico : *Guidoriccio da Foligno* (Simone Martini)
3. Piazza del Campo
4. Torre del Mangia
5. Cappella di Piazza
6. Fonte Gaia
7. Palazzo Pubblico
8. Loggia della Mercanzia
9. Palazzo Piccolomini
10. Palazzo Sansedoni

Palazzo Pubblico : cycle de fresques
Ces fresques peintes par Ambrogio Lorenzetti sont une allégorie des *Effets du bon et du mauvais gouvernement* (1338). L'ensemble, un peu abîmé, est exceptionnel.

Palazzo Pubblico : Guidoriccio da Foligno
Ce portrait équestre peint en 1330 par Simone Martini est une œuvre remarquable. Le personnage se détache sur un paysage de Maremma presque irréel à l'arrière-plan.

Piazza del Campo
La place a été divisée en neuf sections symbolisant le gouvernement des Neuf. Pavée de briques, elle forme une conque légèrement en pente.

Torre del Mangia
Cette tour de 102 m est l'une des plus hautes d'Italie. Ses 503 marches permettent d'accéder au sommet d'où la vue sur la ville est stupéfiante.

Florence et la Toscane Top 10

5 Cappella di Piazza

Après la peste noire de 1348 qui décima les deux tiers de la ville, les survivants construisirent cette loggia de marbre pour remercier Dieu et prévenir une nouvelle épidémie. Elle fut décorée par de grands artistes comme le montre le motif sculpté ci-dessus.

Plan du Campo et du Palazzo

9 Palazzo Piccolomini

C'est dans l'unique palais de style Renaissance florentine de la ville que sont exposées les couvertures de bois des *Tavolette della Biccherna*, des registres d'impôts du XIIIe s., décorées par les artistes siennois.

10 Palazzo Sansedoni

C'est l'édifice le plus ancien du Campo. Sa façade incurvée du XIIe s. a donné le ton au reste de la place.

6 Fonte Gaia

En haut de la place, la « fontaine de la joie » (1348) est une copie du XIXe s. assez médiocre. Les panneaux originaux sculptés par Jacopo della Quercia (1419), très abîmés, sont conservés au Museo Civico *(p. 32)*.

7 Palazzo Pubblico

Siège de l'autorité communale, ce palais de brique (1297-1310, *droite*) est orné de fenêtres à triple baie et de créneaux. Son style gothique a servi de modèle à l'architecture siennoise. Certaines pièces richement décorées abritent le Museo Civico.

8 Loggia della Mercanzia

C'est dans cette loggia de 1417 *(ci-dessus)*, ornée de statues de Vecchietta et de Federighi, que siégeait le tribunal de commerce. L'impartialité de ses juges amenait les gouvernements européens à y plaider leurs différends commerciaux.

Les « contrade »

C'est sur le Campo, zone neutre, que se retrouvent les 17 *contrade* (quartiers) de la ville. Les Siennois appartiennent d'abord à leur *contrada*, puis à Sienne, et enfin à l'Italie. Chaque *contrada* représente une famille élargie dont les responsables sont élus. Possédant son église et ses associations, elle encadre la vie quotidienne du baptême au décès, apportant parfois un soutien financier. Ce sont des clans, enracinés dans les rivalités historiques de la ville, qui s'affrontent lors des courses annuelles du Palio.

L'architecture p. 53

Fresques de la Sala del Mappamondo, détail

⑩ Museo Civico, Sienne

Sala della Pace
Elle abrite les fresques exceptionnelles d'Ambrogio Lorenzetti *(p. 30)*.

Sala del Mappamondo
En face de la *Vierge en majesté* (1315) de Simone Martini se trouve le *Guidoriccio da Foligno,* du même artiste *(p. 30)*, et une fresque monochrome du XVe s.

Anticappella et Cappella
Les fresques sont de Taddeo di Bartolo. La chapelle abrite un beau retable du Sodoma.

Sala di Balia
Les fresques de Spinello Aretino et de son fils (1407) content la vie du pape Alexandre III, et notamment *La Bataille de Punta Salvatore.*

Plan du musée

Sala del Risorgimento
Les fresques et les sculptures du XIXe s. sont à la gloire du roi Vittorio Emanuele II qui parvint à unifier l'Italie.

Loggia
C'est sur cette terrasse couverte que sont conservés les bas-reliefs sculptés par Jacopo della Quercia (1419) pour la Fonte Gaia.

Sala del Concistoro
Les fresques du plafond, réalisées par Beccafumi, exaltent les vertus de la République.

Anticamera del Concistoro
On y aperçoit une fresque d'Ambrogio Lorenzetti.

Vestibule
Ce couloir, orné d'une fresque d'Ambrogio Lorenzetti, abrite une louve de bronze doré (1429), symbole des origines romaines de Sienne.

Peintures des XVIe-XVIIIe siècles
Ces salles, par lesquelles on arrive, présentent des œuvres moins marquantes que le reste.

Le Palazzo Pubblico abrite le Museo Civico

Artistes siennois

1 Simone Martini (1284-1344)
2 Duccio di Buoninsegna (vers 1260-vers 1319)
3 Ambrogio Lorenzetti (vers 1290-1348)
4 Pietro Lorenzetti (vers 1290-1348)
5 Domenico Beccafumi (vers 1486-1551)
6 Le Sodoma (Giovanni Antonio Bazzi, 1477-1549)
7 Jacopo della Quercia (1371-1438)
8 Sassetta (1390-1450)
9 Francesco di Giorgio Martini (1439-1502)
10 Giovanni Duprè (1817-1892)

L'école siennoise

Particulièrement novatrice à la fin du Moyen Âge, l'école siennoise décline à la Renaissance, incapable de rivaliser avec Florence. L'art siennois s'épanouit pleinement à la fin du XIIIe s. quand Duccio et Jacopo della Quercia se détachent de l'influence byzantine encore dominante et développent un style gothique fluide et expressif rompant avec la rigueur et la rigidité byzantines. Au début du XIVe s., Simone Martini ainsi qu'Ambrogio et Pietro Lorenzetti accentuent cette évolution en diversifiant leurs palettes et en soignant le détail à l'extrême. Néanmoins, alors que la Renaissance florentine révolutionne la peinture italienne, l'école siennoise gothique est stoppée dans son élan par la peste de 1348, qui décime les deux tiers de la population et de nombreux artistes. La ville doit se consacrer à sa survie et résister à l'expansion florentine. Une fois relevée, l'école siennoise évolue vers de nombreux styles, du gothique au maniérisme.

Fluidité du trait
Avant la Renaissance, l'école siennoise se démarque de l'école florentine par un style plus fluide, mais moins réaliste. Le tombeau d'Ilaria de Jacopo della Quercia *(p. 42-43)* montre la parfaite maîtrise du marbre de ce sculpteur.

Tombeau d'Ilaria del Carretto (1405-1406), Jacopo della Quercia

Vierge en majesté (1315), Simone Martini

Sienne p. 86-91

№10 La région du Chianti

Les 50 km qui séparent Florence de Sienne dévoilent des paysages magiques, dignes des peintures de la Renaissance. Partout, ce ne sont que collines ondulantes couvertes de vignobles en terrasses et d'oliviers, châteaux médiévaux et marchés animés. Les paysages du Chianti sont réputés depuis l'Antiquité et, aujourd'hui, la région est si prisée des Britanniques qu'elle est parfois surnommée Chiantishire.

Place principale de Greve

⊙ **De nombreux vignobles (p. 36-37) offrent de goûter le vin avec des collations.**

Vous trouverez de quoi composer un pique-nique de rêve chez *Falorni*, à Greve, ou chez *Prociatti*, à Radda.

⊘ **Avant de visiter un vignoble, assurez-vous des horaires et vérifiez si les visites sont libres ou organisées, gratuites ou non, et s'il est nécessaire de prendre rendez-vous.**

• Plan E3
• office de tourisme : viale G. da Verrazzano 59, Greve in Chianti
• 055 854 6287.

Le Chianti

1. Greve in Chianti
2. Castello di Brolio
3. Radda in Chianti
4. Badia a Passignano
5. Montefioralle
6. Pieve di San Leolino
7. Castellina in Chianti
8. Ipogeo di Montacalvario
9. Badia a Coltibuono
10. Panzano in Chianti

Greve in Chianti
La ville est devenue la capitale officieuse du Chianti et les négociants en vins y pullulent. La *macelleria* Falorni est réputée dans le pays pour son assortiment de charcuteries et de fromages. Dégustation gratuite.

Castello di Brolio
L'ancien vignoble de Brolio (1007) est l'âme du Chianti depuis que Bettino Ricasoli, Premier ministre de l'Italie unifiée, en améliora la fabrication à la fin du XIXe s.

Radda in Chianti
Situé au sommet d'une colline d'où la vue est splendide, ce village est dominé par le Palazzo del Podestà, du XVe s., orné des armoiries de pierre des anciens maires. La boucherie-charcuterie de Luciano Prociatti est alléchante.

Montefioralle

Badia a Passignano
Les vignobles qui entourent ce monastère du XIe s. appartiennent à l'empire Antinori. La visite du dimanche (15 h) permet d'admirer *La Cène*, une fresque de Domenico et Davide Ghirlandaio, et la chapelle San Michele ornée de peintures de Ridolfo di Ghirlandaio et du Passignano.

Montefioralle

5 Juste au-dessus de Greve, ce pittoresque hameau du XIVe s. se compose d'une seule rue circulaire et de deux églises. Il offre une vue magnifique sur la vallée et sur l'église San Cresci du Xe s., en contrebas.

Pieve di San Leolino

6 Juste au sud de Panzano, cette petite église romane possède plusieurs belles peintures siennoises des XIIIe-XVe s. et un joli petit cloître de brique.

Ipogeo di Montecalvario

8 Cette belle tombe du VIe s. av. J.-C. comprend quatre passages souterrains menant à la chambre mortuaire. La lumière se trouve à l'entrée.

Badia a Coltibuono

9 L'abbaye, qui date de 770, abrite une église du XIe s., l'école de cuisine de Lorenza de Medici et un restaurant chic tenu par son fils Paolo.

Panzano in Chianti

10 Cette ville souvent négligée (vue depuis la ville, *ci-dessus*) possède sans doute le meilleur charcutier d'Italie (Dario Cecchini) et deux belles œnothèques qui servent du vin local.

Castellina in Chianti

7 La plus médiévale des villes du Chianti possède une Rocca, forteresse austère. La via della Volte, une route-tunnel percée de « fenêtres » dominant la campagne, emprunte la voie militaire qui reliait ce dernier avant-poste florentin à Sienne.

Circuler

La route traditionnelle pour visiter la région est la S 222 qui relie Florence à Sienne par Castellina. Pour avoir un meilleur aperçu, quittez-la pour prendre la S 429 vers l'est qui vous permettra de visiter Radda et Gaiole, puis rejoignez la S 408 en direction de Sienne. Si vous voulez découvrir l'authenticité du Chianti, empruntez les petites routes qui vous conduiront dans des villages tels que Passignano et Coltibuono. Des bus peu fréquents relient les différentes villes.

Florence et la Toscane Top 10

Le vin et la vigne **p. 62-63**

35

Gauche **Dégustation** Centre gauche **Jambons** Centre droit **Vieillissement en fûts** Droite **Bouteilles**

🔟 Les vignobles du Chianti

Castello di Brolio
Le domaine où fut inventé le chianti classico appartient de nouveau à la famille Ricasoli. Visite sur réservation. ✆ *Plan E4* • *0577 7301* • *www.ricasoli.it*

Monsanto
Ce domaine ne produit que du sangiovese. Réserver pour visiter. ✆ *Plan E3* • *055 805 9000* • *www.astellodimonsanto.it*

Fonterutoli
Ce domaine très réputé appartient aux marquis Mazzei. Dégustation et vente directe. ✆ *Plan E3* • *0577 741 385* • *www.mazzei.it*

Castello di Ama
Pas de visites, mais dégustation et vente de chiantis à l'œnothèque Rinaldi Palmira près de Lecchi. ✆ *Plan E3* • *www.castellodiama.com*

Castello di Volpaia
Visitez ce joli village du XIIIe s. construit autour d'une tour et goûtez vins et huiles d'olive. Réserver une semaine à l'avance. ✆ *Plan E3* • *0577 738 066* • *www.volpaia.it*

Castello di Verrazzano
La famille fait du vin depuis 1100. Dégustation au domaine en semaine. ✆ *Plan E3* • *055 854 243* • *www.verrazzano.com*

Vicchiomaggio
Bien situé, ce domaine propose des dégustations, une visite thématique des caves, une trattoria et des cours de cuisine. ✆ *Plan E3* • *055 854 079* • *www.vicchiomaggio.it*

Villa Vignamaggio
Les vins de cette villa historique *(p. 61* et *146)* furent les premiers à recevoir l'appellation chianti. Réserver à l'avance. ✆ *Plan E3* • *055 854 661* • *www.vignamaggio.com*

Vistarenni
Vignobles splendides. Dégustation pour les groupes (réservation). ✆ *Plan E3* • *0577 738 186* • *www.villavistarenni.com*

Rocca delle Macie
Un domaine du XIVe s. avec restaurant et chambres d'hôte. ✆ *Plan E3* • *0577 7321* • *www.roccadellemacie.com*

Les caves de Villa Vignamaggio

Les bons millésimes

1. 2007
2. 2006
3. 2004
4. 2003
5. 2000
6. 1999
7. 1997
8. 1995
9. 1998
10. 1994

L'histoire du chianti classico

Le vin des collines Classico est apprécié depuis l'époque romaine, et le canaiolo (un cépage) était cultivé par les Étrusques. L'appellation chianti date de 1404. Les villes du Chianti s'unissent au XVe s., mais il faut attendre 1716 pour qu'un décret grand-ducal en fasse la première région officiellement viticole au monde. En 1960, le chianti est le premier vin italien à bénéficier de l'appellation « DOCC » désignant la meilleure qualité. Quelque 7 000 ha produisent deux rouges (sangiovese et canaiolo) et deux blancs (malvasia et trebbiano) qui entrent dans la composition du chianti classico. Sept régions produisent du chianti, mais celle-ci a l'exclusivité de l'appellation chianti classico et du label Gallo Nero (« coq noir »).

Dégustation de vins
La plupart des vignobles organisent des dégustations. Essayez de ne pas avaler le vin si vous conduisez. Une bouteille achetée sur place sera très appréciée au cours d'un pique-nique ou au retour.

Le coq noir, label du chianti classico

Les vignobles

7 6
Greve in Chianti 10
Panzano in Chianti 8
2
Monte del Chianti
5 9
Castellina in Chianti Radda in Chianti
3 4 1
Siena (Sienne)

Vignoble de Villa Vignamaggio

Le vin p. 62-63

№10 Cortone (Cortona)

À l'abri de ses remparts médiévaux, Cortone (Cortona) est une petite ville paisible. Nichée sur une ravissante colline, elle offre de splendides panoramas. Centre artistique dès le XIVᵉ s., elle accueillit Fra Angelico et vit naître Luca Signorelli, l'artiste baroque Pietro da Cortona et Gino Severino, un peintre futuriste du XXᵉ s. Un mausolée retrouvé à proximité atteste de la présence d'un peuplement étrusque dans la région.

Piazza Signorelli au cœur de Cortone

🍷 *L'Enoteria*, via Nazionale 18, est un bon endroit où goûter le *salumi* local avec un verre de vin.

🎯 Cortona a depuis longtemps débordé ses remparts médiévaux. Empruntez la sinueuse et raide via Margherita pour vous rendre à la Fortezza Medicea, au sommet de la colline, qui offre un beau panorama sur le lac Trasimeno.

• Plan F4 • office de tourisme : via Nazionale 42 • 0575 630 352
• www.cortonaweb.net
• Museo dell'Accademia Etrusca, ferm. lun. nov.-mars ; EP • Museo Diocesano, ferm. lun. ; EP 5 € • Melone II del Sodo ; visites, appelez le 0575 612. 565.

Les sites

1. Museo dell'Accademia Etrusca
2. Museo Diocesano
3. Melone II del Sodo
4. Duomo
5. Rugapiana (via Nazionale)
6. Santa Maria delle Grazie al Calcinaio
7. Melone I del Sodo
8. San Niccolò
9. San Domenico
10. Tomba di Pitagora

Museo dell' Accademia Etrusca

Essentiellement consacré à l'archéologie étrusque, ce musée présente aussi des antiquités égyptiennes, des ivoires du XVᵉ s. et des bronzes anciens, dont une très belle lampe à huile du Vᵉ s. env. av. J.-C., décorée d'une tête de Gorgone. Le musée possède des œuvres de Signorelli, Pietro da Cortona, Empoli et du Pinturicchio. Une salle est dédiée au peintre futuriste Gino Severini.

Rugapiana (via Nazionale)

Museo Diocesano

Ce petit musée abrite des œuvres majeures de Luca Signorelli *(Déposition)*, Fra Angelico *(Annonciation)* et Pietro Lorenzetti (crucifix). On y voit également un beau sarcophage romain du IIᵉ s. dont s'inspira Donatello.

Annonciation de Fra Angelico, Museo Diocesano

Melone II del Sodo

Ce grand tumulus étrusque du VIIᵉ s. av. J.-C. abrite une chambre mortuaire, une vaste plate-forme à laquelle on accède par un escalier bordé de sphinx. Son orientation, en direction de la colline de Cortone, permet de penser qu'il s'agit d'une sépulture princière.

→ *Autres sites étrusques* p. **40-41**

3 **7** **10**

Duomo
4 La cathédrale romane abrite quelques œuvres d'art des XVIe et XVIIe s., notamment une belle *Assomption* d'Andrea del Sarto.

Rugapiana (via Nazionale)
5 Dans un quartier piétonnier aux ruelles étroites et raides, c'est la rue principale de Cortone et la seule rue qui soit plane *(rugapiana)*.

San Niccolò
8 Derrière une cour bordée de cyprès, une minuscule église du XVe s. abrite un remarquable retable pivotant de Signorelli. S'adresser au sacristain.

San Domenico
9 Cette église gothique conserve notamment une fresque presque effacée de Fra Angelico, une *Vierge avec des anges et des saints* de Luca Signorelli et un grand retable encore intact du XVe s.

Tomba di Pitagora
10 La tombe, qui n'a pas le moindre rapport avec Pythagore, est une sépulture étrusque du IVe s. av. J.-C. Son nom résulte d'une confusion entre la ville de Crotone, en Calabre, où se réfugia le grand mathématicien, et Cortone.

Santa Maria delle Grazie al Calcinaio
6 Harmonieuse, cette église Renaissance (1489-1513) est le chef-d'œuvre de Francesco di Giorgio Martini. Elle se trouve au pied des remparts, dans les oliviers.

Melone I del Sodo
7 Dégagé au XIXe s., cet immense tumulus du VIIe s. av. J.-C. est orné d'inscriptions étrusques et possède de remarquables chambres mortuaires. Visite sur réservation.

S'orienter à Cortone

La route qui monte à Cortona commence près des tumuli étrusques (Melone). Elle serpente dans les oliveraies, passe devant la Tomba di Pitagora et Santa Maria del Calcinaio pour aboutir Piazza Garibaldi, terminus du bus. De là, la via Nazionale mène au centre-ville, Piazza Repubblica et Piazza Signorelli, proches de la plupart des sites principaux.

Autres collines toscanes p. 56-57

Gauche **Fouilles, Roselle** Centre **Frise, Chiusi** Droite **Tombe, Populonia**

Sites étrusques près de Cortone

1 Volterra : Museo Etrusco
Volterra fut l'une des douze puissantes cités étrusques. Ce musée est célèbre pour sa collection d'urnes funéraires (plus de 600), dont l'*Urna degli sposi*, et pour l'*Ombra della sera (ci-dessous)*, une statue votive de bronze *(p. 113)*.

2 Populonia
Ancien centre sidérurgique dans l'Antiquité *(p. 126)*, la ville a conservé son aspect médiéval et abrite un petit musée. La nécropole étrusque toute proche comprend des tombes à édicules et des tumuli.

3 Sovana : tombes et « via cave »
Cet ancien site étrusque *(p. 126)* est entouré de six nécropoles, pour la plupart souterraines. La *via cave* est composée d'étroits passages de 20 m de profondeur dont la fonction reste inconnue.

4 Florence : Museo Archeologico
Riche en art grec et romain, le Musée archéologique de Florence possède également une belle collection d'œuvres étrusques, dont la célèbre *Chimère* d'Arezzo, un grand bronze qui date du IVe s. av. J.-C. *(p. 80)*.

5 Cortone : Museo dell'Accademia Etrusca
Ce beau musée de Cortone abrite une superbe collection étrusque *(p. 38)*.

6 Cortone : tombes
Parmi les tombes étrusques de la vallée de Cortone, notons Melone I et II et la Tomba di Pitagora *(p. 38-39)*.

7 Chiusi : Museo
Le musée de cette ancienne cité étrusque possède une belle collection d'urnes funéraires et de sarcophages dont certains ont conservé leurs décorations polychromes *(p. 120)*.

8 Chiusi : tombes
Un gardien du musée de Chiusi vous accompagnera et vous ouvrira deux des tombes de la nécropole étrusque, notamment la superbe Tomba della Pellegrina.

9 Grosseto : Museo
Belle collection d'objets retrouvés à Sovana, Roselle, Vetulonia et dans la région de la Maremma : stèles de terre cuite, céramiques, bronzes *(p. 126)*.

10 Roselle
Cette ancienne ville étrusque, conquise par les Romains en 294 av. J.-C., est la seule de Toscane à avoir été totalement fouillée. Les vestiges étrusques y côtoient les ruines d'édifices romains.

Villes fondées par les Étrusques

1. Volterra (plan D4)
2. Arezzo (plan F3)
3. Chiusi (plan F5)
4. Cortona (plan F4)
5. Fiesole (plan E2)
6. Pitigliano (plan F6)
7. Sovana (plan F6)
8. Populonia (plan C5)
9. Saturnia (plan E6)
10. Roselle (plan E5)

Les Étrusques

Urne funéraire

La Toscane (Tusci en latin) doit son nom aux Étrusques. Peut-être originaires d'Asie Mineure, les Étrusques s'établissent en Toscane, dans la partie occidentale de l'Ombrie et dans le nord du Latium vers le VIIIᵉ s. av. J.-C. Les rares témoignages grecs ou romains et les objets, essentiellement funéraires, retrouvés dans les fouilles apportent peu d'informations sur leur civilisation. L'Étrurie des douze cités est alors, semble-t-il, une fédération relativement souple de villes puissantes, bâties sur des collines, tournées vers l'agriculture et les échanges culturels et commerciaux, parlant la même langue et pratiquant la même religion. Les Étrusques sont aussi d'excellents ingénieurs, maîtrisant les techniques d'irrigation qu'ils apprennent aux Romains, de bons architectes et de talentueux artistes, comme en témoignent leurs nombreuses nécropoles et poteries. Cette civilisation raffinée ne pourra résister à l'expansion romaine et sera vaincue au IIIᵉ s. av. J.-C. par l'Empire naissant.

Tombe dans la roche, Sovana

Urne funéraire étrusque

Le bas-relief réaliste évoque le dernier voyage du défunt

Écritoire de cire

Portrait du défunt

🔟 Lucques (Lucca)

Patrie des compositeurs Boccherini (1743-1805), Catalani (1854-1893) et Puccini (1858-1924), Lucques (Lucca) est une ville sereine et raffinée à l'abri de ses remparts de brique rouge du XVIe s. Églises romanes richement ornées, places tranquilles et palais aux jardins secrets bordent ses rues dont le tracé parfois rectiligne dévoile le plan romain original. Forum et amphithéâtre y affleurent sous les constructions du Moyen Âge.

Tombeau d'Ilaria del Carretto, détail

Piazza Anfiteatro, Lucca

🚲 **Depuis 1846, le respectable *Antico Caffè di Sumo*, via Fillungo 58, est un des hauts lieux de la ville.**

🚲 **Les Lucquois circulent beaucoup à vélo. Vous pourrez en louer un pour la journée sur la Piazza Santa Maria.**

• *Office de tourisme : Piazza Santa Maria 35*
• *0583 91 991*
• *www.luccaturismo.it*
• *Duomo, ouv. t.l.j. ; EP pour le tombeau d'Ilaria*
• *San Frediano, ouv. t.l.j.*
• *Torre Guinigi, ouv. t.l.j. ; EP*
• *Museo Nazionale di Palazzo Mansi, ferm. lun. ; EP*
• *Museo Nazionale Guinigi, ferm. lun. ; EP ; un billet combiné donne aussi accès aux deux musées.*

Les sites

1. Duomo
2. San Michele in Foro
3. Remparts
4. Tombeau d'Ilaria
5. Piazza Anfiteatro
6. San Frediano
7. Torre Guinigi
8. Museo Nazionale di Palazzo Mansi
9. Museo Nazionale Villa Guinigi
10. Santa Maria Forisportam

1 Duomo
Sa façade romano-pisane, du début du XIIIe s., compte trois galeries soutenues par trois arcades qui s'ouvrent sur un porche roman. À l'intérieur, le tombeau d'Ilaria del Carretto, *La Cène* du Tintoret (1590) et le célèbre *Volto Santo*, un crucifix de bois.

2 San Michele in Foro
Construite sur l'ancien forum romain, sa très haute façade à colonnettes et arcades est romano-pisane. À l'intérieur, une *Vierge à l'Enfant* en terre cuite d'Andrea Della Robbia et les *Sainte Hélène, Saint Jérôme, Saint Sébastien* et *Saint Roch* de Filippino Lippi.

3 Remparts
Élevés entre 1544 et 1650, les remparts ceinturent toujours la ville mais sont désormais aménagés pour la promenade et plantés d'arbres. Ils dévoilent les jardins cachés des palais et offrent des vues superbes.

Tombeau d'Ilaria

Ce chef-d'œuvre du sculpteur Jacopo della Quercia (1406), situé dans la sacristie du Duomo, fut réalisé pour la belle Ilaria del Carretto, épouse de Paolo Luinigi, décédée à 26 ans. Le sarcophage de marbre est magnifiquement ciselé et l'immobilité du gisant contraste avec la frise classique de *putti* portant une guirlande.

Torre Guinigi

Haute de 44 m, cette tour puissante coiffe l'un des deux palais Guinigi du XIVᵉ s. Panorama exceptionnel.

Museo Nazionale Villa Guinigi

Cette villa du XVᵉ s. abrite une remarquable collection archéologique, des sculptures, des peintures Renaissance, mais aussi des stalles et des portes marquetées du XVᵉ s.

Santa Maria Forisportam

Derrière sa façade de marbre romano-pisane du XIIᵉ s., cette église, remaniée au XVIIᵉ s., abrite deux retables de Guercino et un *ciborium* marqueté de *pietre dure*.

Piazza Anfiteatro

Bordée de maisons médiévales aux murs incrustés d'arcades antiques, la place épouse la forme en arène de l'amphithéâtre romain dont les pierres ont servi aux contructions.

San Frediano

Derrière sa façade ornée d'une mosaïque byzantino-romane *(droite)*, l'église abrite une belle vasque baptismale romane et des fresques d'Amico Aspertini (1509) dans la chapelle.

Museo Nazionale di Palazzo Mansi

Dans un décor baroque sont présentées des œuvres Renaissance ou maniéristes : Pontormo, Bronzino, Beccafumi, Correggio, Sodoma et Luca Giordano.

Histoire de Lucca

La ville est fondée par les Romains au IIᵉ s. av. J.-C., mais des traces de peuplement antérieur ont été retrouvées. Durant la période lombarde, la cité prospère sous les marquis de Toscane, avant de devenir une commune libre dès le XIIᵉ s. Un temps dominée par Pise, elle retrouve son indépendance au XIVᵉ s. et résiste à la puissance florentine. Napoléon Iᵉʳ l'offre en 1805 à sa sœur Elisa, qui l'administre judicieusement, puis la ville tombe sous l'autorité des ducs de Parme jusqu'à l'unification de l'Italie.

Gauche **Campanile du Duomo** Centre **San Miniato al Monte** Droite **Santissima Annunziata**

🔟 Églises de Florence

Façade de Santa Croce

1 Duomo
(p. 12-13)

2 Santa Croce
C'est un véritable panthéon dédié aux Florentins célèbres, dont Michel-Ange, Ghiberti, Machiavel, Galilée et Rossini. Les chapelles Bardi et Peruzzi, à droite du chœur, sont ornées de remarquables fresques de Giotto du début du XIVe s.
🔵 *Piazza S. Croce • plan P4-5 • ouv. lun.-sam. 9h30-17h30, dim. 13h-17h30 • EP avec l'entrée au musée.*

3 Santa Maria Novella
L'église conserve de nombreux chefs-d'œuvre : la *Trinité* de Masaccio, un crucifix attribué à Giotto, des fresques de Filippino Lippi dans la chapelle Strozzi à droite du chœur, des fresques de Ghirlandaio. Dans le cloître, les fresques évoquant l'*Ancien Testament* sont de Paolo Uccello.
🔵 *Piazza S. Maria Novella • plan L2 • ouv. lun.-sam. 9h-17h (11h le ven.), dim. 13h-17h. • EP.*

4 San Lorenzo et les Cappelle Medicee
Église paroissiale des Médicis, elle fut construite par Brunelleschi et décorée par Donatello, le Rosso Fiorentino, le Bronzino et Filippo Lippi. Michel-Ange a réalisé la bibliothèque Laurentienne et, dans la Nouvelle Sacristie, les tombeaux des Médicis ornés de statues du Jour, de la Nuit, de l'Aurore et du Crépuscule. 🔵 *Piazza di S. Lorenzo • plan M2 • église, ouv. lun.-sam. 10h-17h30 ; chapelles des Médicis, ouv. t.l.j. 8h15-13h50, ferm. 1er et 3e lun. du mois • EP.*

5 Santo Spirito
Les plans initiaux de cette église, d'une parfaite unité architecturale, sont de Brunelleschi. L'intérieur, composé de quarante chapelles, est une véritable galerie d'art avec notamment une *Vierge avec des saints et des donateurs* de Filippino Lippi et une *Vierge et des saints* de Lorenzo di Credi. 🔵 *Piazza S. Spirito • plan L5 • ouv. lun.-sam. 9h30-12h30 et 16h-17h30, dim. 16h-18h30 • EG.*

Nef centrale de Santa Maria Novella

Florence et la Toscane thème par thème

Santa Maria del Carmine

Cette église abrite l'exceptionnelle chapelle Brancacci dont les fresques évoquant la vie de saint Pierre ont été commencées par Masolino et Masaccio (1424-1427) et terminées par Filippino Lippi (1481-1485). Le génie de Masaccio se manifeste dans *Adam et Ève chassés du paradis*. ✆ *Piazza del Carmine • plan K4 • ouv. lun.-sam. 10h-17h, dim. 13h-17h • EP pour la chapelle Brancacci.*

Nef latérale de Santo Spirito

San Miniato al Monte

Perchée sur les hauteurs de la ville, cette église est typique du style roman florentin avec sa façade incrustée de marbre blanc et vert. Le tabernacle (1448) est de Michelozzo. ✆ *Via Monte alle Croci • plan E3 • ouv. lun.-sam. 8h-13h et 15h-19h, dim. 8h-19h (en été : t.l.j. 8h-19h) • EG.*

Orsanmichele

Les niches des façades de cet ancien grenier sont ornées de copies de statues de Donatello, Ghiberti et Verrocchio, dont les originaux sont conservés au musée, à l'étage. Réalisé par Orcagna, le tabernacle gothique abrite la *Madonna delle Grazie* de Bernardo Daddi (1348). ✆ *Via dell'Arte della Lana • plan M4 • ouv. t.l.j. 10h-17h • ferm. lun. • musée : EP.*

Sculptures de Michel-Ange, chapelle des Médicis

Santa Trinità

La façade baroque est de Buontalenti, et les fresques de la *Vie de saint François*, située dans le Florence du XVe s.,

sont de Ghirlandaio (chapelle Sassetti). ✆ *Piazza S. Trinità • plan L4 • ouv. lun.-sam. 8h-12h et 16h-18h, dim. 16h-18h • EG.*

Santissima Annunziata

L'atrium, dessiné par Michelozzo, est orné de fresques maniéristes d'Andrea del Sarto. La tribune baroque abrite une *Vierge à l'Enfant avec saints* de l'atelier du Pérugin et une *Résurrection* du Bronzino. Giambologna est enterré dans une chapelle qu'il a reconstruite. ✆ *Piazza SS. Annunziata • plan P1 • ouv. 7h30-12h30 et 16h-18h30 • EG.*

Gauche **Duomo de Sienne** Centre **Duomo de Pise** Droite **Sant'Antimo**

Églises de Toscane

1 Duomo de Sienne
Fleuron du gothique italien, cet édifice est richement décoré d'œuvres de Giovanni Pisano, Donatello, Michel-Ange, Beccafumi, du Pinturicchio et du Bernin *(p. 26-27)*.

Nef de la Collegiata, San Gimignano

2 Collegiata de San Gimignano
La sobriété de la façade masque un riche intérieur orné de fresques des XIVe et XVe s., dont un grand ensemble est attribué à Lippo Memmi *(p. 18)*. ✪ *Piazza del Duomo • plan D3 • ouv. lun.-ven. 10h-18h40 (16h40 nov.-mars), sam. 10h-17h, dim. 12h30-17h • ferm. 1er et 31 janv., 12 mars, 25 déc., 1er dim. d'août • EP.*

3 Duomo de Pise
Si l'intérieur a été remanié après le grave incendie de 1595, le Duomo a conservé sa somptueuse façade romano-pisane et, entre autres, la mosaïque de Cimabue (1302) située dans le chœur. C'est ici qu'est conservée la lampe dont l'oscillation aurait permis à Galilée de formuler sa théorie des mouvements isochrones du pendule *(p. 18)*.

4 Duomo de Lucques
Bel exemple du style romano-pisan, San Martino possède une façade originale rehaussée d'arcades.
À l'intérieur, nombreuses sculptures réalisées notamment par Matteo Civitale et Jacopo della Quercia *(p. 42-43)*. ✪ *Piazza S. Martino • plan C2 • ouv. 9h-17h • EG.*

5 Sant'Antimo
Cette abbaye cistercienne, fondée, dit-on, par Charlemagne, date du début du XIIe s. Des colonnes reposent sur des blocs d'albâtre et certains chapiteaux sont en onyx. La sacristie est ornée de fresques de Spinello Aretino. Chants grégoriens *(p. 119)*. ✪ *Abbazia di S. Antimo • plan E5 • ouv. lun.-sam. 10h15-12h30 et 15h-18h30, dim. 9h15-10h45 et 15h-18h • EG.*

Cathédrale San Martino, Lucques

Les églises de Florence p. 44-45

Duomo de Massa Marittima

6 Duomo de Massa Marittima

De style romano-pisan, sa façade volontairement asymétrique est coiffée de pinacles gothiques et flanquée d'un campanile élancé. Au-dessus du portail, un linteau évoque la vie de Saint Cerbone. À l'intérieur, de jolis bas-reliefs préromans. ◈ *Piazza Garibaldi • plan D4-5 • ouv. 8h-12h et 15h-18h • EG.*

7 Duomo de Prato

Sur l'élégante façade, un chapiteau de bronze de Michelozzo soutient la célèbre chaire de la Sainte-Ceinture *(p. 29)*. Dans le chœur, les belles fresques de Filippo Lippi illustrent notamment le *Banquet d'Hérode*. ◈ *Piazza del Duomo • plan D2 • ouv. lun.-sam. 7h-12h et 15h30-19h, dim. 7h-13h et 15h30-20h • EG.*

8 San Francesco d'Arezzo

Dans le chœur se trouve la *Légende de la vraie Croix*, chef-d'œuvre de Piero della Francesca. Ce cycle de fresques (1452-1459) est une évocation fastueuse de la quête de la foi. ◈ *Piazza S. Francesco • plan F3 • ouv. lun.-ven. 9h-19h, sam. 9h-18h15, dim. 13h-16h15 (sam.-dim. 17h45 en hiver) • fresques EP • réservation nécessaire : 0575 352 727 ou www. pierodellafrancesca.it.*

9 Duomo de Pistoia

Le portique décoré de terres cuites émaillées d'Andrea Della Robbia rehausse la façade de style romano-pisan. L'autel de San Jacopo (1287-1456) est un superbe travail d'orfèvrerie. À gauche du chœur, *Vierge en majesté entre deux saints* de Verrocchio. ◈ *Piazza del Duomo • plan D2 • ouv. 8h30-12h30 et 15h30-19h • chapelle San Jacopo • EP.*

10 Duomo de Pienza

Cette superbe réalisation de Rossellino s'inspire des églises d'Allemagne du Sud, à la demande du pape Pie II. La sobre façade abrite un intérieur où s'harmonisent styles gothique et Renaissance. ◈ *Piazza Pio II • plan F4 • ouv. 7h-13h et 14h30-19h • EG.*

Façade et chaire, Duomo de Prato

Gauche **Jardins de Boboli, Palazzo Pitti** Centre **Museo dell'Accademia Etrusca** Droite **Palazzo Pitti**

TOP 10 Musées

1 Galleria degli Uffizi, Florence

La Naissance de Vénus de Botticelli, l'*Annonciation* de Léonard de Vinci et la *Sainte Famille* de Michel-Ange font partie des nombreux chefs-d'œuvre de ce musée exceptionnel *(p. 8-11)*.

2 Palazzo Pitti, Florence

La Galleria Palatina présente les œuvres de Raphaël, Titien, Andrea del Sarto, le Pérugin, Signorelli, le Caravage et Rubens. On y visite aussi les musées du Costume, de l'Argenterie et des Carrosses, et les jardins de Boboli *(p. 14-17)*.

3 Museo Civico, Sienne

Le Palazzo Pubblico abrite des chefs-d'œuvre de l'école siennoise *(p. 32)*, telle l'admirable allégorie des *Effets du bon et du mauvais gouvernement* de Lorenzetti.

4 Bargello, Florence

Le plus grand musée de sculptures d'Italie présente des œuvres de Donatello *(ci-contre)*, de Cellini, Giambologna et Michel-Ange. ✎ *Via del Proconsolo 4 • plan N4 • ouv. t.l.j. 8h15-13h50 • ferm. 2e et 4e lun. et 1er, 3e et 5e dim. du mois • EP.*

5 Museo Etrusco Guarnacci, Volterra

C'est l'une des plus belles collections d'art étrusque de Toscane avec plus de 600 urnes funéraires taillées et sculptées dans le marbre et l'albâtre, l'*Urna degli Sposi* en terre cuite, et de petits bronzes dont la fine *Ombra della sera*, une statuette votive. ✎ *Via Don Minzoni 15 • plan D4 • ouvert t.l.j. 9h-19h (nov.-mars 9h-13h45) • EP.*

6 Accademia, Florence

Célèbre pour les *Esclaves*, destinés à la tombe du pape Jules II, et le *David* de Michel-Ange, ce musée présente aussi des œuvres de Botticelli, Lorenzo di Credi, Orcagna, le Pérugin et Andrea del Sarto. ✎ *Via Ricasoli 60 • plan N1 • ouv. t.l.j. 8h15-18h50 (occasionnellement plus tard en été) • EP.*

7 Museo Civico, Sansepolcro

La ville natale de Piero della Francesca possède certaines de ses plus belles œuvres comme le *Polyptyque de la Miséricorde* (1445-1462), *Saint Julien* (1458), et une fascinante *Résurrection* (1463). Le musée présente également des tableaux de Signorelli et du Pontormo. ✎ *Via Aggiunti 65 • plan F3 • ouv. juin-sept. : t.l.j. 9h30-13h30 et 14h30-17h ; oct.-mai : t.l.j. 9h30-13h et 14h30-18h • EP.*

Résurrection (1463), Museo Civico de Sansepolcro

Pinacoteca Nazionale, Sienne

Ce musée présente une riche collection qui permet de découvrir la remarquable école siennoise. ◈ *Via S. Pietro 29 • plan E4 • ouv. mar.-sam. 10h-18h, dim.-lun. 9h-13h • EP.*

Museo dell'Accademia Etrusca, Cortone

Cette collection éclectique rassemble des objets étrusques et égyptiens, des peintures Renaissance et baroques, des objets d'art et des œuvres du peintre futuriste Gino Severini. ◈ *Piazza Signorelli • plan F4 • ouv. mar.-dim. 10h-19h (oct.-mars 10h-17h) • EP.*

Museo di Storia della Scienza, Florence

Les instruments exposés ici sont à la fois très beaux et d'un grand intérêt scientifique. Galilée y est à l'honneur avec la lunette qui lui permit de découvrir les satellites de Jupiter et une copie du plan incliné qu'il utilisa pour démontrer le mouvement accéléré des corps. ◈ *Piazza dei Giudici 1 • plan N5 • ouv. mar.-sam. 9h30-18h ; dim. 10h-18h • EP.*

➤ *Les artistes toscans* p. 50-51

Styles artistiques

1 Étrusque
Art essentiellement funéraire et religieux, souvent très influencé par les Grecs, du VIIIe au IIIe s. av. J.-C.

2 Byzantin
Tradition iconographique du IXe au XIIIe s., hautement symbolique, stylisée et figée. Fonds dorés, visages allongés aux yeux en amande, personnages hiératiques.

3 Gothique
Plus expressif que l'art byzantin : lignes fluides, intensité dramatique (XIIIe-XIVe s.).

4 Renaissance
La Toscane est le berceau de la Renaissance. L'apparition de nouvelles techniques, dont la perspective et la peinture à l'huile, permet d'élégantes compositions plus réalistes et colorées (XVe-XVIe s.).

5 Maniérisme
Élégance formelle et richesse des couleurs : style « à la manière de » Raphaël et Michel-Ange (XVIe-XVIIe s.).

6 Baroque
Proche du maniérisme, mais le jeu sur l'ombre et la lumière accentue l'intensité dramatique (XVIIe s.).

7 Rococo
Le baroque poussé à l'extrême, exubérant, chargé et tourmenté (XVIIIe s.).

8 Néoclassique
Redécouverte de l'Antiquité et des thèmes mythologiques (XIXe s.).

9 Macchiaioli
Courant toscan proche de l'impressionnisme (fin du XIXe s.).

10 Liberty
Style proche de l'Art nouveau, notamment sur les façades et enseignes (XXe s.).

Gauche *Mort de saint François*, Giotto Droite *Autoportrait*, Raphaël

⑩ Artistes toscans

Autoportrait, **Léonard de Vinci**

Giotto (1266-1337)
1 Premier artiste à s'éloigner des conventions byzantines et à s'attacher à une juste observation du monde. Un retour à la nature qui s'accompagne d'un nouvel équilibre des formes, des mouvements et de l'expression.

Simone Martini (1284-1344)
2 Martini développe une peinture d'inspiration courtoise, raffinée et gracieuse, qui soigne l'effet décoratif tout en figeant les canons de la tradition médiévale par la richesse de sa palette.

Donatello (1386-1466)
3 Premier sculpteur de la Renaissance à appliquer les nouvelles règles de la perspective, bien avant les peintres. Sa technique du

schiacciato crée une impression de sobriété, de vigueur et de profondeur. Il fut aussi le premier, depuis l'Antiquité, à représenter un personnage nu et à réaliser une statue équestre.

Fra Angelico
4 (vers 1400-1455)
Proche à ses débuts de la tradition de l'enluminure, le moine dominicain Fra Angelico présente une vision apaisée du monde en utilisant des couleurs vives dans des compositions expressives, articulées par la perspective.

Masaccio (1401-1428)
5 Considéré comme le fondateur de l'école florentine, Masaccio applique les nouveaux principes de la perspective dans une œuvre où dominent rigueur et expressivité. (*Trinité*, Santa Maria Novella, Florence).

Piero della Francesca
6 (vers 1416-1492)
Maître de la perspective et de l'étude des proportions, ses compositions sont dominées par le sens de la couleur et de l'expressivité. Son œuvre est à la fois mystérieuse et profondément humaine.

Botticelli (1445-1510)
7 Grand maître de la Renaissance, célèbre pour ses thèmes mythologiques. Il adhère avec ferveur à la République de Savonarole *(p. 78)* et délaisse

Les chefs-d'œuvre toscans p. 52-53

la culture humaniste. Il est l'auteur de portraits, de Vierges délicates et de nombreuses scènes tirées de l'Ancien et du Nouveau Testament.

8 Léonard de Vinci
(1452-1519)
À la fois peintre, ingénieur, inventeur et homme de science, cet humaniste symbolise le génie de la Renaissance.
Sa technique du *sfumato* intègre à la perspective et au clair-obscur des couleurs et des formes estompées qui créent une atmosphère réaliste.

9 Michel-Ange (1475-1564)
Peintre, architecte, sculpteur et poète, Michel-Ange est un artiste de génie. L'ampleur de sa vision artistique, commencée à Florence où ses œuvres sont nombreuses, atteint son apogée à Rome (chapelle Sixtine).

10 Le Pontormo (1494-1556)
Combinant la noblesse des formes de son maître Andrea del Sarto et les couleurs éclatantes de Michel-Ange, il développe un style théâtral expressif.

Visitation, Pontormo

Autres artistes en Toscane

1 Giovanni Bellini
(vers 1430-1516)
Peintre vénitien, maître de Giorgione et de Titien, son style est fluide et coloré.

2 Le Pérugin
(vers 1448-1523)
Élève de Verrocchio et de Piero della Francesca, il fut le maître du Pinturicchio et influença Raphaël.

3 Le Pinturicchio
(1454-1513)
Il apporta l'humanisme florentin à l'école ombrienne.

4 Giorgione
(vers 1477-1510)
Artiste vénitien qui s'inspira de la lumière diffuse de Léonard de Vinci et influença le jeune Titien.

5 Titien (vers 1488-1576)
Grand artiste vénitien dont la célèbre *Vénus d'Urbino* se trouve aux Offices *(p. 9).*

6 Raphaël (1483-1520)
Son œuvre s'inspire du Pérugin, de la technique de Léonard de Vinci et des innovations de Michel-Ange.

7 Le Tintoret (1518-1594)
Très influencé par Michel-Ange, son œuvre est lumineuse et fougueuse, mais plus sombre que celle de Titien.

8 Giambologna
(1529-1608)
Grand sculpteur maniériste dont les œuvres combinent mouvement de rotation et réalisme.

9 Le Caravage
(vers 1571-1610)
Maître du baroque dont le clair-obscur est célèbre.

10 Rubens (1577-1640)
Maître flamand du début du baroque qui allie les goûts italien et nordique.

Florence et la Toscane thème par thème

Gauche **Campo dei Miracoli, Pise** Droite **Panneaux de la porte du Paradis, Baptistère, Florence**

TOP 10 Chefs-d'œuvre toscans

1 David

Michel-Ange avait 26 ans quand il commença ce colossal *David* (1501-1504, *ci-dessus*) tout en violence maîtrisée. Cette sculpture établit sa célébrité, d'autant que le monumental bloc de marbre qu'il utilisa était si étroit que ce fut un véritable exploit technique. Initialement installé sur la Piazza della Signoria, il en fut retiré en 1873 pour être protégé, et remplacé par une copie. ◈ *Accademia, Florence* (p. 77).

2 La Naissance de Vénus

Sortant de l'eau, la modeste Vénus de Botticelli cache pudiquement sa nudité. Elle est poussée par les Zéphyrs vers l'Heure du Printemps qui s'avance comme dans un tourbillon pour la vêtir d'un manteau fleuri (1485).
◈ *Les Offices, Florence* (p. 8).

3 Annonciation

C'est une œuvre de jeunesse de Léonard de Vinci, réalisée vers 1475 alors qu'il travaillait encore dans l'atelier de Verrocchio. On remarque déjà sa technique du *sfumato*.
◈ *Les Offices, Florence* (p. 8).

4 Porte du Paradis

Ces panneaux de bronze doré qui évoquent des scènes de l'Ancien Testament, porte est du baptistère, ont été réalisés par Ghiberti de 1425 à 1452 (originaux au Museo dell'Opera del Duomo).
◈ *Baptistère, Florence* (p. 12).

5 Trinité

C'est la première fresque (1425) dans laquelle Masaccio crée une perspective mathématique logique, une composition triangulaire où la Vierge, saint Jean, Dieu et les donateurs sont situés dans l'espace avec exactitude.
◈ *Santa Maria Novella, Florence* (p. 44).

6 Vierge en majesté

Ce chef-d'œuvre de Giotto rompt avec les conventions en

La Naissance de Vénus, de Botticelli

Annonciation, San Marco, Florence

représentant une Vierge très humaine, vêtue d'une robe au drapé élégant, et l'Enfant Jésus réellement assis sur ses genoux. ❧ *Les Offices, Florence* (p. 9).

Annonciation
L'*Annonciation* (1442) de Fra Angelico est située en haut de l'escalier du couvent. L'espace est souligné par la représentation d'une porte au fond de la loggia et le bois luxuriant à l'arrière-plan. ❧ *San Marco, Florence* (p. 78).

Vierge en majesté
Chef-d'œuvre de Duccio, cette *Vierge en majesté* (1311) est une œuvre capitale de la peinture siennoise, car la tradition byzantine y est dépassée par le style gothique, plus réaliste. ❧ *Museo Metropolitana, Sienne* (p. 28).

Effets du bon et du mauvais gouvernement
L'admirable cycle de fresques d'Ambrogio Lorenzetti (1338) orne les murs de l'ancien siège du gouvernement. Cette allégorie évoque la prospérité ou l'effondrement de la cité selon le type de gouvernement. ❧ *Museo Civico, Sienne* (p. 30 et 32).

Résurrection
Dans cette *Résurrection* de Piero della Francesca (1463), le Christ se lève de son sarcophage et le paysage alentour renaît à la vie. ❧ *Museo Civico, Sansepolcro* (p. 101).

À ne pas manquer

1 La coupole du Duomo, Florence
L'ingénieuse double coque autoportante de Brunelleschi, magnifique exploit technique, ouvre la voie à l'architecture de la Renaissance *(p. 12-13)*.

2 Santa Maria Novella, Florence
L'élégante façade achevée à la Renaissance par Alberti abrite un bel intérieur gothique clair et dépouillé *(p. 44)*.

3 Palazzo Vecchio, Florence
Arnolfo di Cambio a dessiné ce chef-d'œuvre de l'architecture gothique *(p. 78)*.

4 Santo Spirito, Florence
Brunelleschi a conçu l'intérieur à trois nefs d'une magnifique ordonnance *(p. 44)*.

5 Campo dei Miracoli, Pise
Bel ensemble de style romano-pisan avec des bandes de marbre vert et blanc, des arcades et des loggias *(p. 22-23)*.

6 Santa Maria della Spina, Pise
La chapelle est un joyau de l'art romano-gothique pisan *(p. 24)*.

7 Tempio di San Biagio, Montepulciano
L'une des plus belles créations de la Renaissance *(p. 119)*.

8 Piazza Pio II, Pienza
Symbole de la cité idéale de la Renaissance *(p. 119)*.

9 Sant'Antimo
Splendide abbaye romane d'influence cistercienne isolée dans la campagne *(p. 46)*.

10 San Gimignano
Ville médiévale unique qui a conservé 14 majestueuses tours de pierre *(p. 18-19)*.

 Les églises de Toscane **p. 44-47**

Gauche **Armoiries des Médicis** Centre **San Marco, agrandi par Cosimo il Vecchio** Droite **Cosimo Ier**

La dynastie des Médicis

Lorenzo il Magnifico

Giovanni di Bicci
(1360-1429)
Banquier et commerçant habile, il fut à l'origine de la fortune des Médicis. Il assit le rôle de la famille dans le gouvernement de Florence et inaugura leur vaste mécénat artistique.

Cosimo il Vecchio
(1389-1464)
Il administra habilement la fortune familiale et la mit au service de ses ambitions politiques. Exilé et emprisonné par ses rivaux, il acquit un prestige immense auprès du peuple et fut rappelé au pouvoir en 1434.

Lorenzo il Magnifico
(1449-1492)
Le plus célèbre des Médicis fut un humaniste sincère et fit de Florence un grand centre intellectuel, y attirant artistes et poètes. Son pouvoir affermi après la conjuration des Pazzi, il fut un politique avisé.

Léon X
(Giovanni, 1475-1521)
Les Médicis étant exilés de Florence, le fils de Laurent le Magnifique fit retentir leur gloire à Rome. Élu pape en 1513, il gouverna Florence par émissaires interposés et remit son neveu au pouvoir. À la mort de ce dernier, le cardinal Giulio, cousin du pape, lui succéda.

Clément VII
(Giulio, 1478-1534)
Neveu illégitime du Magnifique, le cardinal Giulio fut élu pape en 1523. Engagé dans une lutte incessante contre l'empereur Charles Quint, il confia Florence au seul Médicis encore en vie, son fils Alessandro.

Alessandro (1510-1537)
Le fils illégitime de Clément VII devint duc de

Le pape Léon X

Le mécénat des Médicis p. 50-51

Ferdinando Ier

Florence à dix-neuf ans. Despotique et impopulaire, il fut assassiné par son cousin Lorenzaccio.

Cosimo Ier (1519-1574)
Issu de la branche cadette des Médicis, il succéda à son cousin Alessandro et dirigea l'État d'une main de fer. Proclamé grand-duc de Toscane en 1569, il renforça la puissance de Florence, conquit Sienne et fonda le port de Livourne.

Ferdinando Ier (1549-1609)
Intelligent, sage et populaire, il conforta la paix et la prospérité de la Toscane tout en venant en aide aux plus défavorisés. Marié à Christine de Lorraine, sa cour devint un modèle de morale et d'élégance.

Anna Maria (1667-1743)
Dernière de la lignée des Médicis, elle signa en 1737 un pacte de famille avec les nouveaux grands-ducs de la maison d'Autriche-Lorraine, par lequel toutes les collections des Médicis devenaient propriétés inaliénables de la ville de Florence.

Gian Gastone (1671-1737)
Le dernier des Médicis, indolent et hypocondriaque, passait ses journées au lit sans la moindre volonté de gouverner. Il se désintéressa du pouvoir, s'adonnant à la boisson et à la luxure. Il fut néanmoins assez populaire, ayant notamment aboli la peine de mort. À sa mort, la Toscane passa à la maison d'Autriche-Lorrraine.

Le mécénat des Médicis

Michel-Ange
Laurent le Magnifique le remarqua et lui commanda la *Vierge de l'escalier,* sa première œuvre importante.

Donatello
Apprécié de Cosimo il Vecchio dont il était conseiller artistique, il est enterré près de lui à San Lorenzo.

Galilée
Excommunié et emprisonné, il fut protégé de l'Inquisition par Cosimo II, qui lui permit d'échapper à la peine de mort.

Galleria degli Uffizi
Francesco Ier transforma en musée le 2e étage du palais où se trouvaient les bureaux des Médicis *(p. 8-9)*.

Botticelli
Un cousin des Médicis commanda *La Naissance de Vénus* et *Le Printemps*.

Palazzo Pitti
Le palais grand-ducal abrite une partie des collections des Médicis *(p.14-17)*.

San Marco
Couvent reconstruit par Michelozzo à la demande de Cosimo il Vecchio *(p. 73)*.

Premier opéra
Dafne, composé par Jacopo Peri et Ottavio Rinuccini, fut commandé par Francesco Ier pour son mariage (1589).

Benvenuto Cellini
Cosimo Ier convainquit Cellini de revenir à Florence où il réalisa sa célèbre sculpture *Persée*.

Opificio delle Pietre Dure
Cette manufacture fut créée par Ferdinando Ier. C'est le principal atelier de restauration d'œuvres d'art.

Les palais et villas des Médicis **p. 14-17 et 60-61**

Gauche **Piazza Pio II, Pienza** Centre **Détail du Duomo de Volterra** Droite **Volterra**

TOP 10 Collines toscanes

1 Sienne
Au sud du Chianti, Sienne s'étend sur trois collines d'où jaillissent ses palais de travertin, ses tours de pierre et ses églises somptueuses. Si la ville a quelque peu perdu de son influence, elle a conservé son atmosphère accueillante et bucolique *(p. 26-29 et 86-91)*. ❧ *Plan E4.*

2 San Gimignano
Symbole du village typique des collines toscanes, San Gimignano s'enorgueillit de ses 14 tours de pierre qui dominent ses toits de tuiles. Au cœur des champs et des vignobles, San Gimignano produit l'un des meilleurs vins blancs de la région *(p. 18-19)*. ❧ *Plan D3.*

Tour médiévale de Cortonae

3 Volterra
Les rues médiévales de cette ville nichée sur l'une des plus hautes collines de Toscane s'élèvent à 555 m au-dessus de la vallée. Parmi les douze puissantes cités étrusques de l'Antiquité *(p. 40-41)*, Volterra recèle de nombreux trésors de cette civilisation méconnue, conservés dans son très beau musée *(p. 48)*. La ville est aussi mondialement réputée pour son travail de l'albâtre. ❧ *Plan D4.*

4 Montepulciano
La ville s'élève régulièrement de la Porta al Prato, du XVe s., jusqu'au sommet de la plus haute colline de Toscane que dominent la tour crénelée du Palazzo Comunale, dessiné par Michelozzo, et la façade de pierre du Duomo. Ses rues sont bordées de palais Renaissance, de cafés du XIXe s. et de nombreuses boutiques vendant de la grappa et du *vino nobile* *(p. 62-63)*. Vous pourrez visiter les caves. ❧ *Plan F4.*

5 Cortone
Ancien site étrusque majeur, Cortone recèle de nombreux trésors de cette époque, mais aussi de la Renaissance. Bordé d'édifices de pierre, le centre-ville est un entrelacs de ruelles et de petites places escarpées. Au sommet se dresse une forteresse du XVIe s. entourée de jardins d'où la vue est magnifique *(p. 38-41)*. ❧ *Plan F4.*

6 Montalcino

Dernier allié de Sienne lors de l'expansion de la puissance florentine, le village domine fièrement la vallée, coiffé de sa forteresse du XIVe s. d'où la vue est spectaculaire.

Pitigliano et sa falaise

La ville est réputée pour son excellent vin rouge, le *brunello di Montalcino (p. 62-63)*, vieilli au moins cinq ans. ✎ *Plan E4*.

7 Pienza

À la demande du pape Pie II, Rossellino y dessina la première cité idéale selon les critères de la Renaissance. La Piazza Pio II est ainsi un joyau au cœur de ruelles charmantes débouchant sur un splendide panorama. Les boutiques de la ville proposent des vins toscans, du miel et le meilleur *pecorino* du pays. ✎ *Plan F4*.

8 Massa Marittima

Au sommet d'une colline, la ville est dominée par une forteresse édifiée par les Siennois au XIVe s. et dotée d'un centre plus ancien où s'élèvent le Duomo et le Palazzo Comunale. Dans ce dernier, deux musées intéressants, dont l'un abrite une remarquable *Vierge en majesté* d'Ambrogio Lorenzetti. Très beau panorama. ✎ *Plan D4-5*.

9 Pitigliano

Au cœur de la Maremma, entourée de nombreux tombeaux étrusques, la ville est isolée sur un promontoire de tuf. De nombreuses caves sont creusées dans la falaise qui est d'ailleurs indissociable des maisons et du palais. ✎ *Plan F6*.

10 Fiesole

Ancien site étrusque puis romain, Fiesole domina longtemps sa rivale Florence avant de s'incliner au XIIe s. définitivement. Véritable havre de fraîcheur en été, elle offre un point de vue vraiment exceptionnel sur Florence. ✎ *Plan E2*.

Massa Marittima

➥ *Pages suivantes* **Duomo de Prato**

57

Gauche **Dégustation de vins, Villa Vignamaggio** Droite **Villa dell'Artimino « La Ferdinanda »**

🔟 Villas et jardins

1 Villa Poggio a Caiano
Cette villa fut remaniée par Giuliano di Sangallo en 1480 pour Lorenzo il Magnifico. La salle de bal est ornée de peintures maniéristes du Pontormo, d'Andrea del Sarto et d'Alessandro Allori. Francesco Ier et son épouse, Bianca Cappello, y moururent en 1587, sûrement empoisonnés. 🕲 *Piazza dei Medici 14 • plan D2 • 055 877 012 • ouv. nov.-fév. : 8h15-16h30 ; mars et oct. : 8h15-17h30 ; avr.-mai, sept. : 8h15-18h30 ; juin-août : 8h15-19h30 ; vente des billets terminée 1h avant la ferm. • EP.*

2 Villa Demidoff
L'immense domaine de Pratolino fut aménagé pour Francesco Ier de Médicis (1568-1581). Au XIXe s., la villa construite par Buontalenti fut détruite, et un parc romantique remplaça les jardins. Quelques vestiges subsistent, tel le bassin de l'Apennin.
🕲 *Pratolino • plan E2 • 055 409 427 • ouv. avr.-sept. : jeu.-dim. 10h-20h ; mars : dim. 10h-18h • EP.*

Le bassin de l'Apennin, villa Demidoff

3 Villa della Petraia
Cette villa fut remaniée par Buontalenti pour Ferdinando Ier de Médicis puis réaménagée au XIXe s. par la maison de Savoie. L'ancien *cortile* est orné des *Fastes de la maison Médicis*, une fresque de Volterrano (1636-1648). Les jardins datent du XVIIe s. 🕲 *Via della Petraia 40 • plan E2 • 055 452 691 • ouv. nov.-fév. : 8h15-16h30 ; mars et oct. : 8h15-17h30 ; avr.-mai, sept. : 8h15-18h30 ; juin-août : 8h15-19h30 • ferm. 2e et 3e lun. du mois • EG.*

4 Villa Reale di Marlia
Cette villa du XVIe s. fut remaniée au début du XIXe s. par Elisa Bacciochi, sœur de Napoléon Ier. Seuls les jardins du XVIIe s. sont ouverts au public.
🕲 *Marlia, Capannori • plan D2 • 058 330 009 • ouv. mars-nov., vis. guid. 10h-13h et 14h-18h • ferm. lun. • EP.*

Villa di Poggio a Caiano, peinture de Giusto Utens

5 Villa Mansi

Cette élégante villa ornée de nombreuses statues date du XVIe s. et contient des fresques mythologiques de la fin du XVIIIe s. Les splendides jardins anglais ont été aménagés par Juvarra dans le plus pur style baroque. ❧ *Segromigno in Monte • plan D2 • ouv. mar.-dim. 10h-12h30 et 15h-17h (19h en hiver) • EP.*

6 Villa dell'Artimino « La Ferdinanda »

Construite en 1594 par Buontalenti pour Ferdinando Ier, cette villa est un ancien pavillon de chasse qui se distingue par le nombre et la diversité des cheminées. Le sous-sol abrite un musée archéologique. ❧ *Artimino, Carmignano • plan D2 • villa ouv. sur r.-v. (055 875 1427) • EG.*

7 Villa Garzoni

Bien que la villa (1633-1652) soit actuellement fermée, le parc à flanc de colline est ouvert au public. Il date des XVIIe et XVIIIe s. et abrite de nombreuses statues et fontaines. ❧ *Collodi • plan D2 • ouv. 9h au coucher du soleil • EP.*

8 Villa di Castello

Ses jardins furent dessinés en 1541 par le Tribolo pour Cosimo Ier. Ils s'élèvent en pente douce et ont conservé leurs perspectives, terrasses, statues et une grotte. ❧ *Via di Castello 47,*

Villa Vignamaggio

Sesto Fiorentino • plan E2 • visite des jardins seul. • sept.-mai : 9h au coucher du soleil ; juin-août : 8h15 au coucher du soleil • ferm. 2e et 3e lun. du mois • EP.

9 Villa Vignamaggio

Les vins produits par le domaine furent les premiers à bénéficier de l'appellation chianti en 1404. C'est ici qu'est née Monna Lisa et que, plus récemment, fut tourné *Beaucoup de bruit pour rien*. Visite guidée, avec dégustation et déjeuner compris. ❧ *Vignamaggio, Greve • plan E3 • ouv. mar. et jeu. • 055 854 0661• www.vignamaggio.com • EP.*

10 Villa di Cafaggiolo

Ce minuscule château fut réalisé par Michelozzo (1451) à la demande de Cosimo il Vecchio. Il est fermé au public, mais les jardins peuvent être visités sur rendez-vous. ❧ *Barberino di Mugello • plan E2 • ouv. sur rendez-vous • 055 849 8103 • www.castellodicafaggiolo.it*

Jardins de la villa Garzoni

 L'architecture en Toscane **p. 53**

Gauche **Label Montalcino** Centre **Fûts** Droite *Vino nobile*

🔟 Caves à vins

1 Antinori (Chianti)
Les marquis Antinori produisent du vin depuis 1835, une production qui s'élève à plus de 15 millions de bouteilles par an. Leurs vins jouissent d'une excellente réputation et peuvent être dégustés à la Cantinetta Antinori, à Florence *(p. 83)*.

Cave, Montalcino

2 Avignonesi (Montepulciano)
Les frères Falvo sont à l'origine de la renaissance du *vino nobile* dans les années 1990. Leur immense domaine produit l'un des meilleurs *vino santo* de Toscane et des crus obtenus à partir de cépages merlot et cabernet. Dégustation et vente dans un bar chic de Montepulciano. ◈ *Plan F4*
• *Via Gracchiano nel Corso 91*
• *www.avignonesi.it*

3 Castello di Brolio (Chianti)
Bettino Ricasoli, le « baron de fer », imposa les critères de qualité du chianti au XIXe s., créant le label chianti classico. La famille Ricasoli a amélioré la qualité du domaine *(p. 36)*.

4 Banfi (Montalcino)
Cet immense domaine fondé en 1978 s'inspire des méthodes et classements français et produit notamment le *brunello riserva*, un cru millésimé. Grande œnothèque et boutique, ainsi qu'un musée. ◈ *Plan E4* • *vis. guid. sur rés.* • *0577 840 111*
• *www.castellobanfi.com*

5 Monsanto (Chianti)
Ce domaine fut le premier en 1968 à produire un seul cru de chianti, le *foggia riserva*, et le premier en 1974 à produire un chianti issu d'un cépage 100 % sangiovese : force et bouquet *(p. 36)*.

6 Poggio Antico (Montalcino)
C'est l'un des grands vignobles les moins prétentieux de Montalcino qui produit un brunello moelleux souvent récompensé. ◈ *Plan E4* • *0577 848 044* • *www.poggioantico.com*

7 Poliziano (Montepulciano)
Federico Carletti est l'un des grands producteurs de Montepulciano. Il fut le premier à introduire le concept de cru

Négociant, Montalcino

Vignoble près de Fonterutoli

à la française pour le *vino nobile*, avec le vigneto vaggiole. Le domaine ne se visite pas mais possède une boutique de vente directe et de dégustation.

 Plan F4 • Piazza Grande.

Marchesi de' Frescobaldi (Chianti Rufina/Montalcino)

Exploitants depuis trente générations, les marquis Frescobaldi sont les plus grands négociants privés de Toscane. Leurs vins sont depuis longtemps réputés, et ils furent parmi les premiers à utiliser des cépages étrangers (pinot, cabernet sauvignon, chardonnay, merlot). Plusieurs domaines sont ouverts au public.

 Plan E4 • www.frescobaldi.it

Fonterutoli (Chianti)

Le domaine de la famille Mazzei, très réputé depuis 1435, entoure un village médiéval et abrite une *osteria* décontractée où boire un verre. Leurs crus de chianti, siepi et brancaia font désormais partie des plus grands vins italiens *(p. 36)*.

Tenuta di Capezzana (Carmignano)

Le vignoble de Capezzana a créé l'appellation carmignano DOC en ajoutant 15 % de cabernet à un cépage de sangiovese. Il produit également un rosé, le *vino ruspo*. Dégustation sur réservation.

 Plan D3 • vente directe lun.-ven. 8h30-12h30 et 14h30-18h30
• www.capezzana.it

Crus toscans

Brunello di Montalcino
Fait uniquement à partir du cépage sangiovese grosso, c'est l'un des vins rouges les plus forts du pays. Parfait pour accompagner les viandes rouges et le gibier, il exige un long vieillissement.

Vino nobile di Montepulciano
Plus léger et plus souple que le brunello, sa composition où domine le prugnolo est proche du chianti.

Chianti classico
C'est le vin rouge le plus célèbre d'Italie.

Vernaccia di San Gimignano
C'est le seul vin blanc toscan, sec ou doux, à bénéficier de l'appellation DOCG.

Sassicaia di Bolgheri
Cabernet sauvignon puissant qui vieillit bien.

Tignanello
Ce vin puissant, au bouquet relevé, est composé de différents cépages : sangiovese (80 %), cabernet sauvignon (15 %) et cabernet (5 %).

Chianti Rufina
D'une très grande qualité, c'est le chianti de référence depuis le XVIIIe s.

Carmignano
Provient de l'un des plus anciens vignobles (1716) près de Prato. Chianti associé à un cépage cabernet. Vin de garde, équilibré.

Morellino di Scansano
Grand rouge de la Maremma. Cépage 85-100 % morellino (sangiovese).

Vino santo
Vin doux tiré de raisins séchés et vieilli en fût. Accompagne les desserts.

Les spécialités du sud de la Toscane **p. 122**

Gauche **Courgettes** Centre gauche **Pecorino** Centre droit **Étal de poissonnier** Droite **Gâteau florentin**

10 Spécialités culinaires toscanes

1 Bistecca alla fiorentina
Traditionnelle côte de bœuf épaisse, cuite une dizaine de minutes sur la braise, salée et poivrée en fin de cuisson ; arrosée d'huile d'olive. Particulièrement fondante et d'autant plus savoureuse qu'elle est encore rouge.

2 Crostini
Petits croûtons toastés, arrosés d'huile d'olive et garnis d'ingrédients très variés. Les plus célèbres sont les *crostini di fegatini*, garnis de foies de volaille frais, de tomates coupées en dés, de câpres, d'oignons et d'anchois.

3 Ribollita
C'est la grande soupe toscane, un *minestrone* préparé avec des légumes d'hiver, épaissi en ragoût par du

pain rassis trempé toute la nuit, rebouilli le lendemain (d'où son nom de *ribollita*), versé sur de nouvelles tranches de pain et amplement arrosé d'huile d'olive. Les ingrédients peuvent varier mais comprennent toujours des haricots blancs *(cannellini)*, du *cavolo nero* (chou), divers légumes et des herbes.

4 Pappardelle al cinghiale
Typiquement toscanes, les *pappardelle* sont des pâtes formant de larges rubans, généralement servies avec une sauce à base de *cinghiale* (sanglier) longuement mijotée. Fréquent en automne, pendant la saison de la chasse, le sanglier est aussi servi mariné dans du vin rouge *(p. 65)*.

5 Fagioli all'uccelletto
Les Toscans raffolent des *cannellini*, d'où leur surnom de *mangiafagioli*, « mangeurs de haricots ». Cuits *al dente,* comme les pâtes, ils sont parfois servis simplement avec de l'huile d'olive et du poivre. Ils sont aussi délicieux préparés *all'uccelletto,* avec des tomates fraîches, de la sauge, des clous de girofle, de l'huile d'olive et du poivre.

Fagioli all'uccelletto

6 Trippa alla fiorentina
Les tripes à la florentine sont coupées en dés puis cuisinées avec de la tomate, de la

sauge et du parmesan. On en trouve même en sandwich.

Plat de sanglier

Cacciucco

Originaire de Livourne, cette version de la bouillabaisse utilise une *pappa al pomodoro,* bouillon à base de tomates et de *pepperoncini* versé sur du pain rassis et servi avec du poisson et des fruits de mer. La recette varie en fonction de la pêche du jour et de la fantaisie du chef, mais elle compte habituellement du poulpe.

Pici (ou pinci)

Ces gros spaghettis mous et irréguliers sont faits maison avec seulement de l'eau et de la farine (*appiccicare* signifie « rouler à la main »). Au sud de Sienne, ils sont souvent servis avec une sauce tomate.

Pecorino

Mis au point par les bergers de Pienza, c'est le meilleur des fromages au lait de brebis d'Italie. Il peut être plus ou moins fort, du plus doux (*non stagionato* et *marzolino*) au plus corsé (*semi stagionato* et *stagionato*). Il peut être cendré, enveloppé dans une feuille de vigne ou saupoudré de *pepperoncino*. Les plus corsés sont râpés sur les pâtes.

Panzanella

Pain rassis mouillé, tomates, oignons, vinaigre et huile d'olive constituent les ingrédients de cette salade estivale.

Délices toscanes

Gelato
Les meilleures glaces viennent de Florence. Elles sont plus crémeuses et plus parfumées que partout ailleurs. Assurez-vous qu'elles sont bien faites maison (*produzione propria*).

Cantucci
Appelés *biscotti* ailleurs, ce sont de petits biscuits aux amandes, en forme de demi-lune. Les meilleurs viennent de Prato. Délicieux trempés dans du *vino santo*.

Panforte
Clous de girofle et cannelle donnent la saveur typique du *panforte,* riche en amandes et fruits confits.

Torta della nonna
Cette tarte traditionnelle et crémeuse est saupoudrée de pignons de pin.

Ricciarelli
Épais, doux et moelleux, les *ricciarelli* sont à base de pâte d'amandes et de miel, et saupoudrés de sucre.

Zuppa inglese
C'est la version florentine du diplomate. Un gâteau garni de crème pâtissière, arrosé de rhum et d'*alkermes*, une liqueur rouge.

Brutti ma buoni
Gâteaux « laids mais bons », moelleux et craquants.

Ossi di morti
Biscuits siennois légers, friables et croquants.

Zuccotto
Génoise garnie d'une mousse au chocolat et de noix, spécialité de Florence.

Pan pepato
Ancêtre médiéval du *panforte* siennois, c'est un gâteau compact, épicé, aux fruits confits et au miel.

 Les meilleurs vins toscans p. 62-63

Gauche **Jeux, Pise** Centre **Écusson de cavalier, Sienne** Droite **Chevaliers, Arezzo**

🔟 Fêtes et manifestations

la chaire de la façade du Duomo. La cérémonie est suivie d'un cortège en costumes Renaissance conduit à travers la ville par des musiciens. ✪ *Duomo, Prato • plan D2 • Pâques, 1er mai, 15 août, 8 sept. et 25 déc.*

1 Palio, Sienne
Cette course effrénée de moins de 90 secondes autour du Campo *(ci-dessus)* existe depuis le Moyen Âge. Les chevaux sont montés à cru et l'enjeu est une bannière *(palio)*. Cortège Renaissance et porte-étendards somptueux précèdent la course. Il est possible d'y assister soit gratuitement en prenant place assez tôt sur le Campo, soit en réservant (des mois à l'avance) des places bien situées.
✪ *Piazza del Campo, Sienne • plan E4 • 2 juil. et 16 août.*

2 Présentation de la sainte ceinture, Prato
Saint Thomas ne pouvant s'empêcher de douter de l'Assomption de la Vierge, celle-ci lui aurait tendu sa ceinture pour le convaincre. Rapportée de Terre sainte par un croisé originaire de Prato, elle fut enchâssée dans un reliquaire de verre et d'or, et conservée dans le Duomo. Cinq fois par an, l'évêque de Prato la présente solennellement à la foule, depuis

3 Giostra del Saracino, Arezzo
Ce tournoi à cheval et en costumes médiévaux se déroule sur la Piazza Grande, et le prix en est la Lance d'or. C'est la seule joute de Toscane où la cible, un sarrasin stylisé, peut se retourner contre le cavalier au galop et le frapper. ✪ *Piazza Grande, Arezzo • plan F3 • 3e dim. de juin, 1er dim. de sept.*

4 Calcio Storico, Florence
Mélange de football, de rugby et de lutte romaine, cette

Calcio Storico, Florence

Joutes, Arezzo

célèbre joute en costumes Renaissance oppose les quatre quartiers médiévaux. Les matchs se déroulent sur la Piazza Santa Croce et débutent parfois sur la Piazza Signoria ou dans les jardins de Boboli. ◎ *Piazza S. Croce, Florence • plan P4 • 16-29 juin.*

Carnevale, Viareggio
Les fêtes du carnaval culminent pour Mardi gras avec un grand défilé de chars très décorés, célèbre dans tout le pays. ◎ *Viale Carducci et Viale Marconi, Viareggio • plan C2 • Mardi gras et week-ends durant le carême.*

Scoppio del Carro, Florence
Pendant la messe de Pâques, un char géant bourré de pétards est tiré par des bœufs devant la cathédrale. Lors du *Gloria,* une fusée en forme de colombe glisse le long du fil d'acier qui le relie au maître-autel et met le feu aux poudres. ◎ *Piazza di S. Giovanni, Florence • plan M3 • dim. de Pâques.*

Maggio Musicale, Florence
Le Mai musical florentin est un festival consacré à la musique et à la danse qui se déroule un peu partout en ville,

mais aussi dans l'ancien théâtre romain de Fiesole. Consultez le site Internet pour le programme et les horaires. ◎ *Différents endroits • mai-juin • www.maggiofiorentino.com*

Sagra del Tordo, Montalcino
La fête de la grive célèbre la saison de la chasse par un grand banquet qui se déroule dans la forteresse médiévale. Les grives sont accompagnées de polenta et arrosées de brunello. ◎ *Fortezza • plan E4 • dernier week-end d'oct.*

Bravio delle Botti, Montepulciano
Après une semaine de festivités, les huit quartiers de Montepulciano s'opposent en une course folle où seize jeunes hommes poussent de lourds tonneaux de la Colonna del Marzocco jusqu'à la Piazza Grande. La course est suivie d'un banquet de rue.
◎ *Rue principale • plan F4 • dernier dim. d'août.*

Gioco del Ponte, Pise
Depuis le XVIᵉ s., les habitants des deux rives de l'Arno s'affrontent en une joute sur le plus ancien pont de la ville. Les participants, en costumes Renaissance, tentent de diriger un lourd chariot. ◎ *Ponte di Mezzo • plan C3 • dernier dim. de juin.*

Gauche **Monte Argentario** Droite **Restaurant en bord de mer, Elbe**

⑩ Thermes et stations balnéaires

Thermes de Montecatini Terme

Montecatini Terme
C'est l'une des stations thermales les plus élégantes du pays, rehaussée d'une grandiose architecture des années 1920-1930. On y soigne les affections hépatiques (Terme Tetuccio) et dermatologiques (Terme Leopoldine). Un funiculaire permet d'accéder à Montecatini Alto, une cité médiévale située sur une colline *(p. 108)*. ✎ *Plan D2*
• *Viale Verdi 41, Montecatini Terme*
• *0572 77 81• www.termemontecatini.it*

Viareggio
La station balnéaire la plus réputée de la Riviera della Versilia offre une élégante architecture éclectique.

La promenade qui longe la mer, la Passeggiata a Mare, est bordée de restaurants et de boutiques d'un côté, de belles plages sablonneuses mais privées de l'autre *(p. 107)*. ✎ *Plan C2*.

Saturnia : Cascate dei Gorello
Les eaux sulfureuses des thermes de Saturnia jaillissent à 37 °C et dévalent une longue pente en tourbillonnant, formant des cascades ou des petits bassins bleu azur. Vous pourrez vous y baigner et vous détendre *(p. 127)*. ✎ *Plan E6*.

Forte dei Marmi
C'est la plus chic des stations balnéaires du nord de la Riviera della Versilia. Elle doit son nom à la forteresse de marbre élevée sur la place principale. Construite autour d'un port du XVe s., la ville est réputée pour ses plages de sable et ses magnifiques villas cachées dans la pinède *(p. 109)*. ✎ *Plan C2*.

Monsummano Terme
Situé au-dessus d'un lac souterrain sulfureux, ce sauna naturel est formé d'une série de grottes souterraines remplies d'une eau chaude et riche en minéraux *(p. 109)*. ✎ *Plan D2 • Via Grotta Giusti 1411 • 057 290 771.*

Plage de Viareggio

La côte sud **p. 124-129**

Thermes de Saturnia

Elba (Elbe)

L'île d'Elbe, la plus grande de l'archipel toscan, offre un cadre idyllique avec ses belles plages, ses vignobles et ses villages de pêcheurs. Vous pourrez également visiter des forts, des musées, ainsi que des mines de fer renommées depuis l'Antiquité (Elba vient de *ilva*, « fer » en étrusque). Les deux villas où résida Napoléon Ier pendant son exil de onze mois sur l'île *(p. 125)* sont aussi à découvrir. ◉ *Plan C5.*

Chianciano Terme

Il est heureux que l'*acqua santa* de Chianciano soigne les affections hépatiques, car la ville se trouve à l'extrémité d'une route des vins qui relie Montalcino à Montepulciano en traversant le Chianti. Les établissements thermaux sont attachés à Chianciano Alto par une longue série d'hôtels et de villas. ◉ *Plan F4*
• *www.chiancianoterme.com*

Bord de mer, Elbe

Thermes de Saturnia

L'hôtel quatre étoiles Terme de Saturnia est bâti autour des sources sulfureuses dont les eaux chaudes et la boue riches en minéraux sont réputées pour leur action sur la peau et les maladies respiratoires. Centre de remise en forme dans l'hôtel et promenades équestres *(p. 127)*. ◉ *Plan E6* • *0564 600 111*
• *www.termedisaturnia.it*

Punta Ala

Dans une région boisée, propice aux randonnées, cette marina moderne possède des hôtels haut de gamme avec plages privées. Dans une pinède qui descend vers la mer, se trouve l'un des plus beaux terrains de golf de Toscane. ◉ *Plan D5.*

Monte Argentario

Cette presqu'île rocheuse couverte d'oliviers est découpée en plusieurs criques idéales pour la baignade. Au sud, à Porto Ercole, le Caravage mourut de la malaria. Au nord, plus grand et plus huppé, Porto Santo Stefano est à la fois un port de pêche et de plaisance *(p. 125)*. ◉ *Plan E6.*

Gauche **Jeune visiteur** Centre **Glacier** Droite **Piazza del Campo, Sienne**

⑩ Avec les enfants

Duomo de Sienne

1 À l'assaut des tours et coupoles

De la coupole de Florence aux innombrables campaniles, la Toscane offre de multiples occasions d'accéder à de beaux points de vue par des escaliers aussi étroits qu'anciens.

2 Découvrir les tombes

Parcourir les vestiges de la civilisation étrusque est une aventure singulière, digne d'Indiana Jones. Les plus beaux se trouvent dans la Maremma aux environs de Sorano, Sovana et Pitigliano *(p. 125-127)* ou près de Chiusi *(p. 120)*.

3 Museo dei Ragazzi, Florence

Des ateliers sont organisés chaque jour au Palazzo Vecchio *(p. 78)*, au musée des Sciences *(p. 49)* et au musée Stibbert *(ci-après)*. Les enfants peuvent explorer les recoins du Palazzo Vecchio, découvrir les télescopes de Galilée ou revêtir les costumes des Médicis.
⊛ *www.museoragazzi.it*

4 Sources chaudes, Saturnia

Décontractez-vous dans les eaux chaudes et sulfureuses pendant que votre progéniture s'en donnera à cœur joie dans ce paradis aquatique. Attention le courant peut être violent en amont des cascades *(p. 68-69, 127)*.

5 Les remparts de Lucca

Depuis les remparts du XVIe s., aménagés et plantés d'arbres, vous découvrirez des jardins très raffinés en contrebas.

6 Parc Pinocchio, Collodi

La patrie du père de Pinocchio, Carlo « Collodi » Lorenzini, possède un petit parc d'attractions.
⊛ *Sur la S 435 à la sortie de Collodi • plan D2 • ouv. t.l.j. : 8h30 au coucher du soleil • EP.*

7 San Gimignano

Cette ville médiévale semble sortir d'un conte de fées *(p. 18-19)* et offre un ensemble unique de ruelles à explorer, de tours à escalader, et même les vestiges d'une forteresse. Le musée de la Torture mérite une visite.

Tombe étrusque de la Maremma

San Gimignano

Musée Stibbert, Florence

Ce musée est remarquable pour sa collection d'armes et d'armures anciennes. Dans la plus grande pièce, des armures italiennes composent une armée en mouvement. ❧ *Via F. Stibbert 26 • plan E3 • 055 475 520 • www.museo stibbert.it • ouv. lun.-mer. 10h-14h, ven.-dim. 10h-18h • EP.*

Le coin des petits, Ludoteca Centrale, Florence

Ludoteca Centrale, Florence

Parfaitement adaptées aux tout-petits, les cours du plus ancien hospice d'Europe pour enfants trouvés abritent de nombreux jouets. Les enfants doivent être accompagnés. ❧ *Piazza della SS. Annunziata 13 • plan P1-2 • EG.*

Giardino dei Tarocchi

C'est un étonnant jardin où les sculptures, incrustées de mosaïques, représentent les figures d'un jeu de tarot. Niki de Saint Phalle s'y était installée et y travaillait encore avant sa mort. ❧ *Garavicchio di Capalbio • plan E6 • 0564 895 122 • ouv. avril à mi-oct. : lun.-sam. 14h30-19h30 ; nov.-mars : le 1er sam. du mois (EG) • EP.*

En famille

1 Pique-nique

Bon marché, c'est aussi l'occasion pour les enfants de s'aérer, de s'amuser et de manger ce qui leur plaît, dans une atmosphère plus détendue qu'au restaurant.

2 Demi-portion

La *mezza porzione* est plus adaptée aux petits appétits.

3 Chambre partagée

Pensez à faire ajouter un lit ou un berceau, moins onéreux qu'une chambre.

4 Rayonnez

Évitez de changer d'hôtel ou d'appartement. C'est une perte de temps et, de plus, les tarifs à la semaine sont moins élevés.

5 Réductions visites

Les tickets *ridotto* sont réservés aux étudiants et aux moins de 18 ans. Accès parfois gratuit pour les moins de 6, 12 ou 18 ans.

6 Réductions trains

En dessous de 12 ans, un enfant accompagné de deux adultes voyage gratuitement avec le tarif « Offerta Famiglie », mais les suppléments sont au prix normal.

7 Location de voitures

À quatre, une voiture revient moins cher que le train.

8 Pause gelato

Allégez votre programme et prenez le temps de déguster une glace.

9 Faites une sieste

Visiter est épuisant, alors faites une sieste après le déjeuner, comme les Italiens.

10 Soyez relax

Les traditions familiales sont fortes et les Italiens voyagent parfois en clans. Les enfants sont un bon moyen de faire connaissance.

Florence et la Toscane thème par thème

Gauche **La Cantinetta di Rignana** Centre **Cibrèo, Florence** Droite **Dorandò, San Gimignano**

Restaurants

Cibrèo, Florence

Cibrèo, Florence

1 Le meilleur restaurant de Florence est à la fois élégant, sympathique et décontracté. La cuisine est traditionnelle, sans pâtes ni viandes grillées, mais avec beaucoup de *peperoncino*. La trattoria sur la via de' Macci propose une carte plus restreinte, mais la cuisine est la même et les prix sont bien moins élevés *(p. 83)*.

Il Latini, Florence

2 C'est une trattoria toscane typique. Les tables communes sont sous le *prosciutto* (jambon cru) pendu aux poutres et la cuisine est copieuse. Nombreuses entrées et pâtes, viandes grillées, desserts, grappa et vin. L'inconvénient est qu'une foule attend généralement à l'entrée *(p. 83)*.

Il Romito, Livourne

3 Perché en haut d'une falaise dominant la mer, ce restaurant bénéficie d'une vue impressionnante. Au menu, excellents fruits de mer et pizzas. On peut dîner sur la grande terrasse, après avoir dégusté un verre au bar. ✎ *Via del Litorale 274 Antignano, Livourne • 0586 580 520 • plan C3 • ouv. t.l.j. déjeuner et dîner • €€€€.*

Dorandò, San Gimignano

4 Cet élégant restaurant aux murs de pierre perpétue les traditions culinaires de San Gimignano. Il ressuscite avec brio de délicieux plats du Moyen Âge et de la Renaissance. À en croire les propriétaires, certaines recettes remontent même aux Étrusques. La carte explique les plats en détail *(p. 117)*.

La Buca di Sant'Antonio, Lucques

5 Le meilleur restaurant de la ville depuis 1782. Ses nombreuses salles sont décorées d'ustensiles de cuisine et d'instruments de musique anciens, et l'accueil est typiquement toscan, à la fois professionnel et amical. Toutes les spécialités lucquoises sont particulièrement excellentes *(p. 111)*.

Trattoria le Cave di Maiano, près de Fiesole

6 Sur les hauteurs de Florence, c'est l'endroit préféré des Florentins

Dorandò, San Gimignano

qui viennent y déjeuner sur la terrasse à l'ombre des tilleuls ou, quand le temps est trop froid, dans la salle à manger aux poutres apparentes. Excellentes spécialités régionales et ambiance très chaleureuse.
🔹 *Via Cave di Maiano 16 • 055 59 133 • plan E2 • ouv. t.l.j. 12h45-15h30 et 19h45-minuit • €€€€.*

Cantinetta di Rignana, près de Greve in Chianti

Cet établissement, situé au cœur de vignobles et loin des grandes routes, est une trattoria rustique tout ce qu'il y a de plus authentique. Les murs sont décorés de pots de cuivre et de représentations de la Vierge à l'Enfant, et les jambons sèchent, suspendus au plafond. Les pâtes sont faites maison, et les viandes grillées sont délicieuses. En été, vous pourrez profiter de la véranda *(p. 97)* et d'un panorama somptueux.

La Buca di San Francesco, Arezzo

La famille de Mario di Fillipi dirige ce haut lieu gastronomique d'Arezzo, installé dans le sous-sol d'un palais du XIVe s. Les plats sont purement toscans et robustes, comme la *saporita del buonconto,* un plat médiéval mijoté à base de différentes viandes. Les portions sont généreuses *(p. 105).*

Il Latini, Florence

Ristorante Fiorentino, Sansepolcro

Le meilleur restaurant de Sansepolcro. Vieux de près de deux siècles, c'est une trattoria accueillante où le patron préfère présenter les plats du jour de vive voix que de vous tendre une carte. De plus, il aime parler des œuvres de Piero della Francesca avec ses clients. *(p. 105).*

Trattoria Sant'Omobono, Pise

Un marché pittoresque se tient devant cette trattoria. La cuisine, simple, est typiquement pisane, avec notamment du *baccalà* (morue) et des *brachetti alla renaiola,* des pâtes avec du poisson fumé. 🔹 *Plan C3 • Piazza Sant'Omobono 6 • 050 540 847 • ferm. dim.*

La Buca di Sant'Antonio, Lucques

VISITER LA TOSCANE

FLORENCE ET LA TOSCANE TOP 10

Gauche **Terrasse de café** Centre **Maisons sur le Ponte Vecchio** Droite **Tenue florentine traditionnelle**

Florence (Firenze)

*B*erceau incontesté de la Renaissance, Florence est aussi celui de la langue italienne dont Dante reste le symbole. Le mécénat éclairé des Médicis a permis à de nombreux artistes et intellectuels de s'exprimer et de trouver un asile : Michel-Ange fut encouragé par Lorenzo il Magnifico, et Galilée fut protégé de l'Inquisition par Cosimo II. Conservatoire exceptionnel de chefs-d'œuvre, la ville possède aussi un charme authentique que l'on découvre dans ses ruelles médiévales ou dans l'Oltrarno, parmi les artisans et les antiquaires. Les jardins de Boboli et la ville voisine de Fiesole (p. 93) sont des haltes agréables.

Gauche **Galleria degli Uffizi, vue de l'Oltrarno** Droite **Chevet et coupole du Duomo**

⏚⏚ Les sites de Florence

1. **Galleria degli Uffizi**
2. **Piazza del Duomo**
3. **Palazzo Pitti**
4. **Galleria dell' Accademia**
5. **Santa Croce**
6. **Ponte Vecchio**
7. **San Marco**
8. **Palazzo Vecchio**
9. **Piazza della Signoria**
10. **Il Bargello**

Florence **p. 8-17 et 44-45**

Galleria degli Uffizi
1 Le plus beau musée dédié à l'art de la Renaissance offre aussi un merveilleux panorama de toute la peinture occidentale. Au fil des salles, on découvre notamment les chefs-d'œuvre de Giotto, Botticelli, Michel-Ange, Raphaël, Léonard de Vinci, Titien, le Caravage ou Rembrandt *(p. 8-11)*.

Piazza del Duomo
2 Le cœur religieux de Florence abrite le campanile de Giotto, le Duomo coiffé de la splendide coupole de Brunelleschi, le baptistère orné de la porte du Paradis et de mosaïques byzantines, et le Museo dell'Opera del Duomo où sont exposées des sculptures de Michel-Ange et de Donatello *(p. 12-13)*.

Palazzo Pitti
3 Cet édifice impressionnant de style Renaissance servit de résidence aux grands-ducs de Toscane de 1560 à 1859. Rehaussé par les splendides jardins de Boboli qui s'étendent à l'arrière, le palais abrite sept musées, dont la remarquable galerie Palatine où sont présentés de très nombreux chefs-d'œuvre *(p. 14-17)*.

Galleria dell'Accademia
4 Ce musée permet de découvrir les sculptures de Michel-Ange, tels les *Esclaves*,

Salle de Giovanni di San Giovanni, Palazzo Pitti

exposées dans une galerie à l'extrémité de laquelle se dresse fièrement son *David*. Le musée possède aussi une très belle collection de peintures florentines du XIIIᵉ au XVIᵉ s., et une gypsothèque *(p. 48)*.

Santa Croce
5 La plus importante des églises franciscaines de la ville recèle de nombreux monuments funéraires, où reposent des Florentins illustres, et de belles fresques de Giotto. À l'arrière, la chapelle des Pazzi, réalisée par Brunelleschi, est ornée de terres cuites de Luca Della Robbia, et un petit musée abrite la célèbre *Crucifixion* de Cimabue ainsi qu'une fresque de Taddeo Gaddi, *La Cène (p. 44)*.

Gauche **Cour d'Ammannati, Palazzo Pitti** Droite **Tombeau de Michel-Ange, Santa Croce**

Gauche **Ponte Vecchio** Droite **Cour Michelozzo, Palazzo Vecchio**

6 Ponte Vecchio

Ce pont, peut-être construit par Taddeo Gaddi, est bordé d'échoppes de bijoutiers et d'orfèvres depuis que Cosimo Ier en évinça les bouchers au XVIe s., soucieux de l'hygiène publique (d'autant que le corridor qui relie les Offices au Palazzo Pitti passe juste au-dessus). C'est le seul pont de la ville à n'avoir pas été détruit par les Allemands en 1944, qui firent néanmoins sauter les quartiers anciens de chaque rive. ✆ *Via Por S. Maria/Via Guicciardini* • *plan M4-5.*

Piazza della Signoria

7 San Marco

En 1437, Cosimo il Vecchio chargea Michelozzo de reconstruire en partie l'ancien couvent dominicain du XIIIe s. Le moine Fra Angelico y vécut (p. 50) et en orna de fresques les cellules et les murs. Ses autres œuvres sont exposées dans l'hospice des Pèlerins. Le petit réfectoire abrite une *Cène* de Ghirlandaio, et le célèbre *Portrait de Savonarole* par Fra Bartolomeo décore l'appartement du Prieur où vécut ce moine fanatique *(encadré).* ✆ *Piazza di S. Marco 1* • *plan N1* • *ouv. lun.-ven. 8h15-13h50, sam. 8h15-18h50, dim. 8h15-16h50 ; ferm. 2e et 4e lun., 1er, 3e et 5e dim. du mois* • *EP.*

Le bûcher des vanités

Savonarole, un moine dominicain, entreprend de combattre l'humanisme païen qui règne à Florence. Après l'exil des Médicis (1494), il prend la tête d'une république théocratique, une dictature morale qui culmine par un autodafé des ouvrages humanistes sur la Piazza della Signoria (1497). L'année suivante, les Florentins se révoltent et l'envoient au bûcher.

8 Palazzo Vecchio

Ce palais imposant est l'œuvre d'Arnolfo di Cambio et abrite aujourd'hui l'hôtel de ville. À l'occasion du mariage de son fils, Cosimo Ier chargea Vasari de réaliser les fresques qui ornent la cour de Michelozzo. Il lui confia également le soin de décorer le Salone dei Cinquecento à la gloire des Médicis. Son fils, Francesco Ier, fit aménager, toujours par Vasari, un cabinet de travail secret, le Studiolo, véritable écrin maniériste. ✆ *Piazza della Signoria 1* • *plan N4* • *ouv. ven.-mer. 9h-19h, jeu. 9h-14h (ouv. plus longtemps lun. et ven. en été)* • *EP.*

9 Piazza della Signoria

Le cœur historique de Florence est aussi un musée

Sculpture de Cellini

de sculptures en plein air. La fontaine de Neptune est d'Ammannati, auquel Michel-Ange reprocha d'avoir gâché un si beau marbre. Près du Palazzo Vecchio se trouvent des copies de *Judith et Holopherne* et du *Marzocco* (lion héraldique de Florence) de Donatello et une copie du *David* de Michel-Ange ainsi que *Hercule et Cacus* de Bandinelli. La Loggia dei Lanzi, du XIVe s., abrite, entre autres statues, des copies du magnifique *Persée* de Cellini (1553) et de l'*Enlèvement des Sabines*, chef-d'œuvre de Giambologna (1583). ✪ *Plan N4*.

10 Il Bargello

Ce grand musée de sculptures est installé dans un palais médiéval, qui fut transformé en hôtel de ville puis en prison. Il expose des œuvres de Michel-Ange, un gracieux *Mercure* de Giambologna et surtout une collection d'œuvres de Donatello, tels *David* (1412, marbre), *David nu* (1440, bronze) et *Saint Georges* (1416, bronze). ✪ *Via del Proconsolo 4 • plan N4 • ouv. 8h15-13h50, ferm. 1er, 3e, 5e dim. et 2e, 4e lun. du mois • EP.*

Musiciens, Piazza della Signoria

Florence en un jour

Le matin

🕐 Réservez vos entrées (055 294 883) pour l'**Accademia** *(p. 48)* à 8 h 30 afin d'admirer tranquillement les peintures florentines et les sculptures de Michel-Ange (prévoyez 90 min). Dirigez-vous ensuite vers le **Duomo** *(p. 12-13)* et dégustez une glace à base de produits locaux chez **Grom**, via delle Oche 24r. Il faut faire la queue, mais cela vaut la peine.

Soyez au **Museo dell'Opera del Duomo** vers 11 h. Visitez le **Duomo** et montez à la coupole, puis allez admirer la porte du Paradis et les belles mosaïques byzantines du **baptistère**.

Prenez la via del Calzaiuoli puis tournez à gauche sur la via dei Cimatori pour acheter du vin et un délicieux sandwich chez **I Fratellini** *(p. 82)*.

L'après-midi

Pendant le *riposo*, comme presque tout est fermé, allez à **Santa Croce** *(p. 44)* pour rendre hommage aux célébrités qui y reposent et jeter un coup d'œil à la boutique de l'école du cuir. En revenant au centre-ville, arrêtez-vous chez **Vivoli**, le meilleur glacier de Florence, via Isole delle Stinche 7r, pour une glace bien méritée.

Réservez pour les **Uffizi** à 16 h *(p. 8-11)*, ce qui vous laissera trois heures pour admirer les maîtres de la Renaissance. En sortant, traversez le **Ponte Vecchio** au crépuscule, prenez le temps d'admirer l'Arno, puis explorez l'**Oltrarno** à la recherche d'un bon restaurant pour dîner.

Visiter la Toscane – Florence

Gauche **Museo Archeologico** Centre **Palazzo Medici-Riccardi** Droite **Museo Horne**

🔟 Autres visites

1 Églises
Les principales églises
de Florence sont présentées
p. 44-45 et la cathédrale p. 12-13.

2 Museo Archeologico
Belle collection étrusque
(*Chimère* d'Arezzo, *missorium*
en argent), mais aussi romaine
(Idolino), égyptienne et attique
(p. 40). 🔊 *Via della Colonna 36 • plan
P2 • ouv. lun. 14h-19h, mar. et jeu. 8h30-
19h, mer. et ven.-dim. 8h30-14h • EP.*

3 Palazzo Medici-Riccardi
Ce palais (1444) abrite
une chapelle ornée d'une belle
fresque de Benozzo Gozzoli.
🔊 *Via Cavour 3 • plan N2 • ouv. jeu.-mar.
9h-19h • EP.*

4 Casa Buonarroti
Maison du neveu de
Michel-Ange avec des œuvres
de jeunesse de l'artiste.
🔊 *Via Ghibellina 70 • plan P4
• ouv. mer.-lun. 9h30-14h • EP.*

5 Spedale degli Innocenti
Élégant portique de
Brunelleschi orné de médaillons
de terre cuite d'Andrea Della
Robbia. La pinacothèque
possède des œuvres de
Ghirlandaio et Botticelli.
🔊 *Piazza SS. Annunziata 12 • plan P2
• ouv. t.l.j. 10h-19h • EP.*

6 Museo Horne
Belle collection réunie par
l'historien d'art Herbert Percy
Horne. 🔊 *Via dei Benci 6 • plan N5
• ouv. lun.-sam. 9h-13h • EP.*

7 Piazzale Michelangelo
Cette terrasse offre un
panorama incomparable sur
Florence. 🔊 *Piazzale Michelangelo
• plan Q6.*

8 Cenacolo di Sant'Apollonia
Ce réfectoire est orné de
fresques d'Andrea del Castagno,
dont une *Cène* d'une grande
expressivité dramatique (1457).
🔊 *Via XXVII Aprile 1 • plan N1 • ouv.
8h15-13h50, ferm. 1er, 3e, 5e dim. et 2e,
4e lun. du mois • EP.*

9 Museo Stibbert
Belle collection d'armes
et d'armures européennes
et orientales *(p. 71).*

10 Casa di Dante
Considéré comme la maison
natale de Dante, ce musée
retrace les grands moments de
la vie du poète. Il rencontra sa
muse, Béatrice Portinari, dans
l'église voisine, où elle repose.
🔊 *Via S. Margherita 1 • plan N3 • ouv.
mar.- dim. 10h-17h, dim. 10h-13h (16h
1er dim. du mois) ; ferm. lun. • EP.*

Gauche **Marché de San Lorenzo** Centre **Gucci** Droite **Pineider**

TOP10 Boutiques

1 Mercato San Lorenzo
Un célèbre marché en plein air qui propose maroquinerie, vêtements et papier marbré. Le marché alimentaire contigu est ouvert tous les matins sauf le dim. ✪ *Piazza di S. Lorenzo • plan M2 • ouv. 8h-20h • ferm. nov.-fév. le lun.*

2 Ferragamo
Dans le Palazzo Ferroni, boutique très élégante : chaussures, cravates, écharpes et bagages. ✪ *Via dei Tornabuoni 4r-14r • plan M3 • ouv. mar.-sam. 10h-19h30, lun. 15h30-19h30 • musée ouv. mer.-lun. 10h-18h • EP.*

3 Gucci
Célèbre boutique de cuir ouverte par Guccio Gucci en 1904. ✪ *Via dei Tornabuoni 10r • plan M3 • ouv. mar.-sam. 10h-19h, lun. 15h-19h, dim. 14h-19h.*

4 Enoteca Alessi
Cette boutique en sous-sol propose les meilleurs vins de Florence. ✪ *Via delle Oche 27-29r • plan N3 • ouv. lun.-sam. 9h-13h, 14h-20h.*

5 Pitti Mosaici
Très belles mosaïques de pierres semi-précieuses. ✪ *Piazza dei Pitti 23r-24r • plan L5 • ouv. t.l.j. 9h-19h • ferm. dim. en hiver.*

6 Emilio Pucci
Le célèbre couturier florentin a créé son audacieuse griffe il y a des décennies. ✪ *Via Tornabuoni 22r • plan M3 • ouv. lun.-sam. 10h-19h.*

7 La Botteghina
Très belles céramiques réalisées par certains des meilleurs artisans de l'Italie du Centre. ✪ *Via Guelfa 5r • plan M1 • ouv. lun.-ven. 10h-13h30 et 16h-19h30, sam. 10h-13h30.*

8 Casa dei Tessuti
Un magnifique choix de tissus. Des discussions impromptues se tiennent parfois dans la boutique. ✪ *Via dei Pecori 20-24r • plan M3 • ouv. mar.-sam. 10h-13h et 15h-19h, lun. 15h-19h.*

9 École du cuir de Santa Croce
Le cuir de l'école de Santa Croce est d'excellente qualité. Les artisans apposeront vos initiales en lettres d'or sur vos articles. ✪ *Piazza di Santa Croce (entrée dans l'église) ; dim. entrée Via di S. Giusseppe 5r • plan P4 • ouv. lun.-sam. 9h30-18h.*

10 Pineider
Papeterie-maroquinerie de luxe. ✪ *Piazza della Signoria 13r • plan N4 • ouv. mar.-sam. 10h-19h30, dim. 10h-14h et 15h30-19h30, lun.15h30-19h30.*

➤ *Autres boutiques en Toscane p.122*

Gauche **Café Gilli** Centre **Cantinetta del Verrazzano** Droite **Giubbe Rosse**

TOP10 Cafés et bars

1 Gilli
Sous les plafonds ornés de stucs de ce café historique, les intellectuels italiens se réunissaient pour débattre de l'unification de l'Italie. ✪ *Piazza della Repubblica 39r • plan M3 • €€€.*

2 Giubbe Rosse
Les serveurs sont vêtus de chemises rouges *(giubbe rosse)* en souvenir de Garibaldi. Les artistes du mouvement futuriste s'y retrouvaient, et des manifestations artistiques y sont toujours organisées. ✪ *Piazza della Repubblica 13-14r • plan M3 • €€.*

3 Rivoire
Ce café élégant déploie sa terrasse sur la Piazza della Signoria. ✪ *Piazza della Signoria/via Vacchereccia 4r • plan N4 • ferm. lun. • €€.*

4 Santo Bevitore
Ce bar à vins dans une cave voûtée avec assiettes garnies de viande et de fromages, et des vins de premier choix, attire une population locale et chic. . ✪ *Via Santo Spirito 64-66r • plan L4 • 055 211 264 • €€€.*

5 Cantinetta del Verrazzano
C'est le meilleur bar à vins de Florence. Tous les produits proviennent du domaine Antinori dans la région du Chianti *(p. 36).* Excellents sandwichs et pâtisseries. ✪ *Via dei Tavolini 18-20r • plan N3/4 • €.*

6 I Volpe e l'Uva
Un bar à vins jazzy et décontracté situé dans le quartier de l'Oltrarno. ✪ *Piazza dei Rossi • plan M5 • €.*

7 I Fratellini
C'est une *fiaschetteria* traditionnelle, un bar à vins exigu où l'on trouve aussi des boissons et de délicieux sandwichs à emporter. ✪ *Via dei Cimatori 38r • plan N4 • €.*

8 Pitti Gola e Cantina
Fort bien situé, juste en face du Palazzo Pitti, c'est un petit bar à vins raffiné qui propose de bons plats légers. ✪ *Piazza Pitti 16 • plan L5 • €.*

9 Red Garter
Bar américain dans le style des années 1920. Concerts fréquents dans l'arrière-salle. ✪ *Via dei Benci 33r • plan P4 • €.*

10 Fiddler's Elbow
Comme il faut bien être à la mode, Florence possède aussi ses pubs irlandais. Celui-ci est l'un des meilleurs. ✪ *Piazza S. Maria Novella 7r • plan L3 • €.*

Catégories de prix

Pour un repas complet (entrée, plat, dessert) avec une demi-bouteille de vin ou une autre boisson, taxes et service compris.

€ moins de 25 €
€€ de 25 à 35 €
€€€ de 35 à 55 €
€€€€ de 55 à 70 €
€€€€€ plus de 70 €

Gauche **Cibrèo** Droite **Bar**

🏆🔟 Restaurants

1 La Giostra
Un service raffiné et impeccable. ⊗ *Borgo Pinti 12r • plan P3 • 055 241 341 • €€.*

2 Il Latini
Restaurant avec des *prosciutto* au-dessus des têtes et de bons plats de la cuisine traditionnelle toscane *(p. 72)*. ⊗ *Via dei Palchetti 6r • plan L3 • 055 210 916 • ferm. lun. • €€€.*

3 Cibrèo
Grand restaurant fréquenté par les intellectuels. Dispose d'une annexe où la carte est plus restreinte, mais moitié moins chère. ⊗ *Via Andrea del Verrocchio 8r • plan Q4 • 055 234 1100 • ferm. dim. lun. et août • €€€€€ (trattoria €€).*

4 Cantinetta Antinori
Restaurant et bar à vins dans un palais du XVe s. Les produits proviennent du domaine de la famille Antinori, installée dans le Chianti. ⊗ *Piazza Antinori 3 • plan L3 • 055 292 234 • €€€.*

5 Casa di Dante (del Pennello)
Cette trattoria existe depuis les années 1500. Réputée pour ses nombreux *antipasti.* ⊗ *Via Dante Alighieri 4r • plan N3 • 055 294 848 • ferm. dim. et lun. • €€.*

6 Caffè Bigallo Enoteca
Restaurant calme et agréable servant une cuisine toscane et méditerranéenne. Menus intéressants à prix fixe. ⊗ *Via del Proconsolo 73/75r • plan N3 • 055 291 403 • €.*

7 Il Cantinone
Longues tables de bois où l'on déguste de délicieux *crostini* et des plats plus copieux. ⊗ *Via S. Spirito 6r • plan L4 • 055 218 898 • ferm. lun. • €€.*

8 Alla Vecchia Bettola
Les Florentins y viennent pour savourer de très anciennes recettes comme les *testicciuole,* un ragoût de riz dans un crâne de mouton coupé en deux. ⊗ *Viale Vasco Pratolini 3/7 • plan J5 • 055 224 158 • ferm. dim., lun. ; 2 sem. août • €€.*

9 Il Pizzaiuolo
Pizzeria bondée qui sert de délicieuses pâtes napolitaines. Attente même en ayant réservé. ⊗ *Via dei Macci, 113r • plan Q4 • 055 241 171 • ferm. dim. • €.*

10 Acqua al Due
Adorable restaurant, ambiance tamisée et menu dégustation *(assaggi).* ⊗ *Via della Vigna Vecchia 40r • plan N4 • 055 284 170 • ouv. pour dîner seul. • €€.*

➜ *Pages suivantes* **Ponte Vecchio, Florence**

Gauche **Piazza del Campo** Droite **Produits artisanaux, Il Papiro**

Sienne (Siena)

Nichée sur ses collines, Sienne déploie une architecture gothique somptueuse. Au Moyen Âge, la ville prospéra grâce à la banque et au commerce, se couvrant d'édifices majestueux et développant une école de peinture raffinée, héritière des traditions byzantines. La peste de 1348 mit fin à cet âge d'or en décimant près des deux tiers de la population. Sienne se replia alors sur elle-même, loin des fastes de Florence. La ville ne retrouva jamais sa grandeur perdue, mais elle a conservé, malgré quelques façades baroques, une atmosphère médiévale.

Gauche **Moment de détente à la terrasse du Campo** Droite **La riche façade du Duomo**

🔟 Les sites de Sienne

1. Palazzo Pubblico
2. Piazza del Campo
3. Duomo
4. Pinacoteca Nazionale
5. San Domenico
6. Santa Maria della Scala
7. Enoteca Italiana Permanente
8. Via Banchi di Sopra
9. Casa di Santa Caterina
10. Santa Maria dei Servi

Nef centrale du Duomo

Palazzo Pubblico

Cet élégant palais gothique de pierre et de brique abrite désormais un musée *(p. 32)* dans ses salles somptueusement décorées. On peut y admirer notamment la *Maestà* de Simone Martini et le remarquable cycle de fresques des *Effets du bon et du mauvais gouvernement* d'Ambrogio Lorenzetti. ✪ *Piazza del Campo • ouv. t.l.j. 10h-18h • EP.*

Piazza del Campo

Au cœur de la cité médié-vale, cette place légèrement incurvée, qui s'ouvre en éventail, est l'une des plus belles d'Italie. C'est le centre de la vie publique, où l'on passe et repasse, et où se déroule la célèbre course du Palio *(p. 66)*. Sa grande beauté en fait l'un des principaux sites de Toscane *(p. 30–31)*.

Duomo

Cette immense cathédrale gothique, dont la façade est incrustée de marbre coloré, recèle de nombreux trésors artistiques signés Michel-Ange, Pisano, Pinturicchio, Duccio, Donatello et Bernin. Un chapitre *(p. 26-27)* lui est consacré.✪ *Piazza del Duomo • ouv. t.l.j. • EP.*

Pinacoteca Nazionale

La pinacothèque présente une riche collection de peintures siennoises qui permet de comprendre l'évolution stylistique de cette école, héritière des traditions byzantines et indépendante de sa rivale florentine. On peut y admirer de nombreuses œuvres des frères Lorenzetti, de Duccio et de Simone Martini, mais aussi du Sodoma et de Beccafumi. De ce dernier sont exposés les nombreux dessins qui servirent à la réalisation du pavement marqueté du Duomo *(p. 49)*. ✪ *Via S. Pietro 29 • ouv. t.l.j. • EP.*

San Domenico

C'est dans cette église massive de brique rose à l'allure de forteresse que sainte Catherine prit le voile *(voir encadré)*. L'église conserve son portrait réalisé par Andrea Vanni, et la Cappella di Santa Caterina est ornée de fresques du Sodoma (1526) et de Francesco Vanni évoquant sa vie. Belles œuvres de Matteo di Giovanni dans les chapelles à droite du chœur. ✪ *Piazza S.Domenico.*

Gauche **Pinacoteca Nazionale** Droite **San Domenico**

Sainte Catherine de Sienne

Patronne de l'Italie, Caterina Benincasa (1347-1380) prend l'habit sans prononcer ses vœux et reçoit les stigmates à 28 ans. À Avignon, elle rencontre le pape Grégoire XI et le décide à regagner Rome. Elle consigne ses expériences dans *Dialogue de la Divine Providence*. En 1970, elle fut déclarée la première femme docteur de l'église.

Crus millésimés, Enoteca Italiana Permanente

6 Santa Maria della Scala

Cet hôpital fondé au IXe s., resté en partie en activité jusqu'en 1992, est présenté à la page 28. Les splendides fresques datant de la Renaissance de la Sala del Pellegrinaio, pour la plupart réalisées par Domenico di Bartolo, illustrent des scènes réalistes du fonctionnement de l'hôpital au Moyen Âge, comme celles des soins apportés aux malades. Il accueille des expositions temporaires. 🕲 *Piazza del Duomo • ouv. 10h30-18h30 (16h30 nov.-mars) • EP.*

7 Enoteca Italiana Permanente

Les caves voûtées de cette imposante forteresse du XVIe s. abritent une sorte de musée consacré aux grands crus italiens. Comme ce sont les négociants qui les fournissent volontairement, la sélection est loin d'être complète. Tous les vins sont destinés à la vente et, chaque jour, des bouteilles sont ouvertes pour en permettre la dégustation dans le bar ou sur la terrasse. 🕲 *Fortezza Medicea • ouv. lun. 12h-20h, mar.-sam. 12h-1h du matin.*

8 Via Banchi di Sopra

Bordée de palais, c'est la rue principale où le soir les Siennois vont faire une *passeggiata* (promenade). Avant le Palazzo Pubblico, le conseil municipal se réunissait sur la place située entre l'église San Cristofano et le Palazzo Tolomei du XIIIe s. Un peu plus haut, la Piazza Salimbeni est bordée de deux palais Renaissance (Tantucci et Spannochi) et d'un palais gothique (Salimbeni). Tous trois abritent le Monte dei Paschi di Siena, le premier employeur de la ville et le plus ancienne banque de Sienne (1472), qui possède une petite collection de peintures siennoises. 🕲 *Via Banchi di Sopra.*

9 Casa di Santa Caterina

La maison natale de sainte Catherine a été transformée

Gauche **Via Banchi di Sopra** Droite **Cloîtres, Casa di Santa Caterina**

Santa Maria dei Servi

en différents oratoires en 1466.
La Chiesa del Crocifisso abrite
le crucifix du XIIe s. devant lequel
la sainte reçut les stigmates,
et le petit oratoire supérieur
est orné de peintures baroques
du Riccio, du Pomarancio et de
Francesco Vanni. On descend
à l'oratoire inférieur, décoré
notamment de fresques du
Sodoma, en passant par la
chambre de la sainte. ✪ Costa
di S. Antonio • ouv. 9h-12h30, 15h-18h.

Santa Maria dei Servi
Cette église gothique,
remaniée à la Renaissance,
abrite de belles peintures
siennoises de différentes
périodes. Les plus remarquables
sont une *Vierge à l'Enfant avec
deux anges* de Coppo di
Marcovaldo (1261), encore très
proche du modèle byzantin,
le *Massacre des Innocents*
de Matteo di Giovanni (1491),
une *Annonciation* maniériste
de Francesco Vanni (1585) et,
dans la deuxième chapelle de
gauche, des fresques de Pietro
Lorenzetti (*Banquet d'Hérode*
et *Saint Jean l'évangéliste*).
✪ Piazza A. Manzoni • ouv. 9h-12h,
15h-18h.

Une journée à Sienne

Le matin

Commencez par le quartier
du **Duomo** (p. 26-29),
surtout l'hiver où le musée
n'est ouvert que
le matin. Découvrez
le pavement et les trésors
gothiques et baroques
de la cathédrale, puis
traversez pour visiter
Santa Maria della Scala.

Ne manquez pas le **Museo
Metropolitana** (p. 28) qui
présente des œuvres de
Pisano, Donatello et
Duccio. La vue depuis
la terrasse est magnifique.

Rendez-vous ensuite
au **baptistère**, avant
de revenir au Duomo
que vous contournerez
pour déjeuner à l'**Antica
Osteria da Divo** (p. 91).

N'y prenez pas de dessert,
car il vaut mieux aller en
choisir un à la pâtisserie
Bini située à l'angle de la
via Fusari 9-13.

L'après-midi

Empruntez la via di Città,
bordée de nombreuses
boutiques, pour vous
rendre sur le **Campo**
(p. 87). Après avoir
dégusté votre pâtisserie,
attablez-vous à la terrasse
du **Bar Il Palio**, Piazza del
Campo 47-49. Commandez
un café ou un verre de vin
et profitez de l'ambiance
de cette place magnifique.

Entrez dans le **Palazzo
Pubblico** pour visiter
le **Museo Civico** (p. 32)
et ses fresques
admirables. Quittez le
Campo par le nord pour
faire une pause au célèbre
café **Nannini** (p. 90) autour
d'un *espresso* ou d'un
Campari, puis remontez
la via Banchi di Sopra
pour une *passeggiata*.

Gauche **Céramique** Centre **Antica Drogheria Manganelli** Droite **Prêt-à-porter Cortecci**

⑩ Boutiques, cafés et bars à vins

1 Nannini
Le plus grand café de Sienne torréfie son propre café et propose de délicieuses pâtisseries. *Via Banchi di Sopra 22-24 • €.*

2 Ceramiche Artistiche Santa Caterina
Franca, Marcello et leur fils Fabio créent les plus belles céramiques de Sienne. Les motifs verts, blancs et terre de Sienne reprennent le pavement du Duomo. *Via di Città 51 et 74-76 • ouv. t.l.j. 10h-20h.*

3 Tessuti a Mano
Fioretta Bacci crée des lainages uniques et colorés sur ses propres métiers à tisser. *Via S. Pietro 7 • ouv. lun.-ven. 10h-13h et 13h30-19h, sam. 13h30-17h.*

4 Siena Ricama
Pour ses tapisseries et broderies, Bruna Fontani s'inspire de l'art siennois, des manuscrits enluminés jusqu'aux fresques des Lorenzetti. *Via di Città 61 • ouv. lun.-ven. 9h30-13h et 14h30-19h, sam. 9h30-13h.*

5 Antica Drogheria Manganelli
Spécialités siennoises (pâtisseries, vins, confitures, fromages, salamis) dans une belle boutique datant de 1879. *Via di Città 71-73 • ouv. lun.-sam. 9h-20h, dim. 10h30-18h30.*

6 Cortecci
Prêt-à-porter (Armani, Gucci, Prada, Versace) et des marques plus abordables. *Via Banchi di Sopra 27 et Il Campo 30-31 • ouv. mar.-dim. 9h30-13h et 15h30-20h, lun. 13h30-20h.*

7 Il Papiro
Chaîne de papeteries spécialisées dans le papier marbré et les carnets reliés en cuir. *Via di Città 37 • ouv. t.l.j. 9h30-19h30.*

8 Compagnia dei Vinattieri
Cette petite *enoteca* allie plats créatifs et traditionnels avec des vins puissants. La cave est dans un aqueduc médiéval. *Via delle Terme 79 • 0577 236 568 • €€€.*

9 Aloe e Wolf Gallery
Boutique-galerie derrière la piazza Il Campo qui vend des vêtements vintage et des objets d'art. *Via del Porrione 23 • ouv. t.l.j. 10h30-19h30.*

10 Louis Ciocchetti
Montres et reproductions de bijoux étrusques, tous fabriqués en Italie. *Via banchi di Sopra 91 • ouv. t.l.j. 10h-19h.*

Catégories de prix

Pour un repas complet   **€** moins de 25 €
(entrée, plat, dessert) avec   **€€** de 25 à 35 €
une demi-bouteille de vin   **€€€** de 35 à 55 €
ou une autre boisson,   **€€€€** de 55 à 70 €
taxes et service compris.   **€€€€€** plus de 70 €

Gauche **Castelvecchio** Droite **Tullio ai Tre Christi**

TOP10 Restaurants

Osteria Le Logge
Restaurant installé dans une ancienne pharmacie et servant une cuisine traditionnelle excellente. 🔍 *Via del Porrione 33 • 0577 48 013 • ferm. dim. • €€€.*

Antica Osteria da Divo
Ambiance médiévale, service décontracté et cuisine toscane moderne. 🔍 *Via Franciosa 29 • 0577 284 381 • ferm. mar. • €€€.*

Castelvecchio
Cuisine toscane créative et à des prix raisonnables dans ce petit restaurant intime. Sélection de plats végétariens. 🔍 *Via di Castelvecchio 65 • 0577 49 586 • ferm. dim. (parfois ouv. déj.) et mar. • €€.*

Osteria del Ficomezzo
Cadre romantique pour cette petite salle en étage. Spécialités traditionnelles toscanes préparées de façon parfois insolite. 🔍 *Via dei Termini 71 • 0577 222 384 • ferm. dim. • €€.*

Tullio ai Tre Christi
Ce célèbre restaurant de Sienne est une traditionnelle trattoria spécialisée dans le poisson. 🔍 *Vicolo di Provenzano 1 • 0577 280 608 • €€€.*

Antica Trattoria Papei
Trattoria familiale servant des plats copieux. Évitez la salle à manger sur la droite et préférez l'ancienne salle ou la terrasse sur la place. 🔍 *Piazza del Mercato 6 • 0577 280 894 • ferm. lun. • €€.*

Al Marsili
Le restaurant le plus élégant de la ville propose de délicieuses spécialités siennoises dans un beau palais du XIIe s. 🔍 *Via del Castoro 3 • 0577 47 154 • ferm. lun. • €€.*

La Taverna del Capitano
Art moderne insolite et service décontracté pour une cuisine copieuse et savoureuse. 🔍 *Via del Capitano 6-8 • 0577 288 094 • ouv. mer.-lun. 12h30-15h et 19h30-22h • €.*

Cane e Gatto
La carte savoureuse de cette petite trattoria familiale est une bonne introduction à la cuisine toscane. 🔍 *Via Pagliaresi 6 • 0577 287 545 • ferm. pour le déjeuner et jeu. • €€€€.*

Osteria La Chiacchera
Établissement étonnamment bon marché, où le couvert n'est pas facturé. *Cucina povera* (cuisine populaire) avec d'excellents desserts frais du jour. 🔍 *Costa di Sant'Antonio 4 • 0577 280 631 • €.*

> Sauf mention contraire, tous les restaurants acceptent les cartes de paiement et servent des plats végétariens.

Gauche **Place avec fontaine, Prato** Centre **Certosa del Galluzzo** Droite **Duomo, Prato**

Les environs de Florence

es collines verdoyantes et la vaste vallée de l'Arno qui s'étendent autour de Florence sont souvent négligées au profit de Sienne et de Pise. La campagne au nord-ouest de Florence permet de découvrir les nombreuses villas médicéennes, et les villes de Prato et de Pistoia, quelque peu occultées par leurs illustres voisines, méritent le détour pour leur patrimoine artistique d'une grande richesse. N'hésitez pas à quitter les grandes routes pour aller à la découverte de lieux plus authentiques. En direction de Pise, aucune route n'est plus ravissante que la S 222 Chiantagiana qui passe par Impruneta, célèbre pour ses poteries, et traverse la pittoresque région du Chianti.

Gauche **Baptistère, Pistoia** Droite **Panzano, région du Chianti**

🔟 Les sites des environs de Florence

1. Le Chianti
2. Fiesole
3. Prato
4. Pistoia
5. Villa Poggio a Caiano
6. Borgo San Lorenzo
7. Villa Demidoff
8. Certosa del Galluzzo
9. Vinci
10. Impruneta

Le nord-ouest de la Toscane p. **106-111**

Légende de la sainte ceinture,
Bernardo Daddi, Prato

Le Chianti
La région des célèbres vignobles toscans possède aussi des forteresses, des monastères et de charmants villages *(p. 34-37)*.

Fiesole
De Florence, le bus n° 7 dessert cette colline autrefois peuplée par les Étrusques. La cathédrale du XIe s., bâtie avec d'anciennes colonnes romaines, abrite des sculptures Renaissance de Giovanni Della Robbia et de Mino da Fiesole. Les vestiges du théâtre et des thermes romains servent de cadre à des concerts en été. La route abrupte qui mène à l'église San Francesco, avec ses cloîtres paisibles et son minuscule musée religieux, longe un parc ombragé qui offre un panorama sur Florence. ◎ *Plan D2*
• *office de tourisme : via Portigiani 3* • *055 598 720.*

Prato
La tradition marchande de cette ville industrielle remonte au XVe s. et au célèbre marchand Francesco di Marco Datini, qui révolutionna le commerce en inventant la lettre de change. Son somptueux palais est un exemple rare d'édifice médiéval. Le Duomo abrite des œuvres remarquables *(p. 47)* et la Galleria Comunale possède une belle collection de peintures, de polyptyques et de retables signés Bernardo Daddi, Lorenzo Monaco, Filippo et Filippino Lippi ou encore Luca Signorelli. Le Castello dell'Imperatore, construit par Frédéric II (vers 1420), a été restauré mais a conservé son caractère original. ◎ *Plan D2* • *office de tourisme : Piazza Duomo 8* • *0574 24 112* • *www.prato.turismo.toscana.it*

Pistoia
Cette ancienne ville romaine fut un grand centre métallurgique qui produisit d'élégants poignards *(pistole)* avant de donner son nom aux pistolets. Entourée de remparts, la ville a conservé un riche patrimoine médiéval qui témoigne de sa prospérité, comme le Duomo et l'église San Giovanni Fuorcivitas, mais aussi les fresques gothiques de la Cappella del Tau et la chaire de Giovanni Pisano (1298-1301) dans l'église Sant'Andrea. ◎ *Plan D2*
• *office de tourisme : Piazza Duomo 4*
• *0573 21 622*
• *www.pistoia.turismo.toscana.it*

Vue de Fiesole

Le nord-est de la Toscane **p. 100-105**

Gauche **Certosa del Galluzzo** Droite **Collegiata, Impruneta**

Villa Poggio a Caiano

Dessinée par Giuliano da Sangallo, la plus célèbre des villas des Médicis servit de modèle au style Renaissance. Elle a conservé des fresques de Filippino Lippi et du Pontormo *(p. 60)*. ✆ *Plan D2 • Piazza de' Medicea 14 • ouv. nov.-fév. : 8h30-16h30 ; mars, oct. : 8h15-17h30 ; avr.-mai et sept. : 8h15-18h30 ; juin-août : 8h30-19h30 • EP.*

Borgo San Lorenzo

La capitale médiévale de la région du Mugello a beaucoup souffert du séisme de 1919. La Pieve di San Lorenzo, romane mais remaniée au XVIe s., abrite un retable Renaissance de Taddeo Gaddi et Bachiacca, des

Tabernacle, Borgo San Lorenzo

peintures murales Art nouveau de Galileo Chini (1906, dans l'abside) et une fresque très abîmée de Giotto. Belles villas médicéennes dans les environs comme celle de Cafaggiolo *(p. 61)* et le Castello del Trebbio de Michelozzo (1461). ✆ *Plan E2 • office de tourisme : « Borgo Informa » Piazza Garibaldi ; « Pro Loco » via O. Bandini 6 • 055 845 6230.*

Villa Demidoff

La villa d'origine n'existe plus mais le Pratolino, un jardin maniériste transformé en parc romantique, a conservé des fontaines et sculptures du XVIe s. *(p. 60)*. ✆ *Plan E2 • Pratolino • ouv. avr.-sept. : jeu.-dim. 10h-20h30 ; oct. : dim. 10h-19h ; mars : dim. 10h-18h • EP.*

Certosa del Galluzzo

Cette chartreuse fondée en 1342 abrite désormais une communauté de moines cisterciens. Elle a conservé sa petite église gothique, un grand cloître Renaissance orné de médaillons d'Andrea et Giovanni

Maquette de bicyclette, Léonard de Vinci

Della Robbia, un élégant petit cloître de Brunelleschi et des fresques du Pontormo dans la pinacothèque. ❧ *Plan E3 • Galluzzo • ouv. pour vis. guid. seul. mar.-dim. 9h-11h30, 15h-17h (17h30 en été).*

9 Vinci

Sur les pentes du mont Albano, Vinci est une petite ville agréable. C'est dans le hameau voisin d'Anchiano que naquit en 1452 Léonard de Vinci. Le Castello Guidi, du XIe s., abrite le Museo Vinciano qui présente plus de cent maquettes réalisées à partir des nombreux dessins de l'artiste ; 3 km plus loin, sur la colline, se trouve sa maison, une ferme restaurée où sont exposées des reproductions. ❧ *Plan D2 • office de tourisme : via della Torre 11 • 0571 568 012.*

10 Impruneta

Cette ville célèbre pour ses poteries possède une splendide collégiale Renaissance. De chaque côté de l'autel, les chapelles dessinées par Michelozzo sont ornées de terres cuites de Luca Della Robbia. Celle de droite abrite un fragment de la Sainte Croix, celle de gauche une icône de la Vierge (attribuée à saint Luc) enterrée lors des persécutions des premiers chrétiens et retrouvée lors de la construction des fondations de l'église. Celle-ci abrite aussi des peintures baroques et un crucifix de Giambologna. ❧ *Plan E3 • office de tourisme : « Pro Loco Impruneta », piazza Garibaldi • 055 231 3729.*

Excursions dans la région

Le matin

⏰ Commencez par **Pistoia** *(p. 93)* et les belles fresques gothiques de la Cappella del Tau. Visitez ensuite San Giovanni Fuorcivitas avec sa façade romano-pisane de marbre blanc et vert (inachevée) et ses trésors romans et gothiques.

☕ Faites une pause au café Valiani, qui autrefois faisait partie de l'église. Ne vous attardez pas si vous voulez visiter le **Duomo**, qui ferme à midi *(p. 47)* et Sant'Andrea, à 12 h 30. Revenez au centre-ville en passant par l'Ospedale del Ceppo orné de médaillons et d'une frise en terre cuite émaillée. Déjeunez à la populaire trattoria **Lo Storno** *(p. 97)*, derrière la pittoresque place du marché, bordée de boutiques médiévales qui ont conservé leurs étals de pierre.

L'après-midi

De Pistoia, rendez-vous à **Prato** *(p. 93)*. Commencez par les fresques des façades du Palazzo Datini, demeure du célèbre marchand de Prato. À l'intérieur, jolie cour avec portique et salles ornées de fresques.

Visitez le **Duomo** *(p. 47)*, le Museo dell'Opera del Duomo contigu et le Palazzo Pretorio. Achetez des *cantucci* chez Antonio Mattei, puis grimpez sur les remparts du Castello dell'Imperatore pour avoir une vue imprenable sur Santa Maria delle Carceri (1485-1506), véritable chef-d'œuvre du début de la Renaissance.

 Léonard de Vinci **p. 50**

Gauche **Ceramiche Rampini** Centre **Macelleria Falorni** Droite **Albergaccio**

TOP 10 Boutiques et cafés

1 Ceramiche Rampini, près de Radda
Un des meilleurs céramistes italiens. Motifs raffinés et originaux. On y trouve de tout, des simples objets aux services de table complets. ⊗ *Plan E3 • Casa Beretone di Vistarenni (route de Sienne).*

2 Macelleria Falorni, Greve
Les *prosciutti* pendent au plafond de cette boucherie, et les salamis ornent les murs depuis 1729. Bons vins. ⊗ *Plan E3 • Piazza Matteotti 69-71.*

3 The Mall, Leccio Regello, près de Florence
Pour économiser sur vêtements, chaussures et accessoires de chez Armani, Gucci ou Bottega Veneta. Une navette (055 865 7775, rés. lun.-ven.) relie Florence au centre commercial. Le bâtiment est blanc et porte l'inscription « café », à 5 km de la route principale. ⊗ *Plan E3 • Via Europa 8 (prendre la sortie Incisa sur l'A1).*

4 Antonio Mattei, Prato
Depuis 1858, cette boutique propose les meilleurs *cantucci* (biscuits) d'Italie. Achetez-en quelques-uns avec une bouteille de *vino santo*. ⊗ *Plan D2 • Via Ricasoli 20-22.*

5 Luciano Porciatti, Radda
Excellents fromages et charcuteries. Un peu plus loin, une épicerie vend du vin et des paniers de produits régionaux. ⊗ *Plan E3 • Piazza IV Novembre 1-3.*

6 Barberino Designer Stock, Barberino di Mugello
Plus de 100 boutiques de designers et autant de cafés et restaurants. ⊗ *Plan E2 • via Meucci • fév.-mai, oct., nov, ferm. lun.*

7 Luca Mannori, Prato
De délicieux gâteaux et un choix impressionnant de chocolats. ⊗ *Plan E2 • Via Lazzerini 2.*

8 Nuovo Mondo, Prato
Si vous passez par cette rue commerçante, arrêtez-vous pour acheter de la confiserie, des pâtisseries ou des panini. ⊗ *Plan E2 • Via Garibaldi 23 • €.*

9 Carlo Fagiani, Panzano
Magasin moderne qui propose des cuirs traditionnels. Vestes, sacs et chaussures sur mesure. ⊗ *Plan E3 • Via G. da Verrazano 17.*

10 Caffè New York, Pistoia
Une large sélection de cafés est proposée. Vous pourrez acheter celui de votre choix dans un paquet original. ⊗ *Plan D2 • Viale Adua 5/7.*

Luciano Porciatti, Radda

Autres boutiques en Toscane p. 136-137

Catégories de prix

Pour un repas complet **€** moins de 25 €
(entrée, plat, dessert) avec **€€** de 25 à 35 €
une demi-bouteille de vin **€€€** de 35 à 55 €
ou une autre boisson, **€€€€** de 55 à 70 €
taxes et service compris. **€€€€€** plus de 70 €

Gauche **Oltre il Giardino, Panzano** Droite **Il Pirana, Prato**

🔟 Restaurants

1 La Cantinetta di Rignana, près de Greve
Assurément le meilleur endroit pour un festin campagnard, tant pour le cadre que pour la qualité *(p.73)*. ◎ *Loc. Rignana • plan E3 • 055 852 601 • ferm. mar. • €€€.*

2 Da Delfina, Artimino
L'un des meilleurs restaurants de la campagne toscane. Service impeccable et joyeux, cuisine traditionnelle raffinée. Le lapin aux olives et pignons *(coniglio con olive e pineli)* est délicieux. ◎ *Via della Chiesa 1 • plan D2 • 055 871 8074 • ferm. lun., mar. midi, dim. soir (en hiver) • €€€ • certaines cartes acceptées.*

3 La Cantinetta di Spedaluzzo, près de Greve
En bord de route, cette trattoria offre un panorama exceptionnel depuis sa terrasse. Sans doute les meilleurs *ribollita, crostini* et tiramisu de Toscane. ◎ *Via Mugnana 93 (S222) • plan E3 • 055 857 2000 • ferm. mar. • €€.*

4 Albergaccio, Castellina
Cuisine créative qui apporte une touche délicate à la cuisine toscane *(gnocchi di ricotta* avec des truffes blanches et du thym). ◎ *Via Fiorentina 63 • plan E3 • 0577 741 042 • €€€.*

5 La Fontana, Prato
Une cuisine toscane simple et authentique. Large choix de desserts maison. ◎ *Via di Canneto 1 • plan D2 • 0574 27 282 • €€.*

6 Oltre il Giardino, Panzano
Cuisine généreuse, ambiance intime et vue splendide. Le menu change tous les jours. Mieux vaut réserver. ◎ *Piazza Bucciarelli 42 • plan E3 • 055 852 828 • ferm. lun. • €€ .*

7 Trattoria dell'Abbondanza, Pistoia
Chaleureux restaurant derrière la Piazza del Duomo qui propose de la belle cuisine toscane. ◎ *Via dell'Abbondanza 10 • plan D2 • 0573 368 037 • ferm. mer. midi et jeu. • €.*

8 Baghino, Prato
Bonne cuisine locale dans le meilleur restaurant du centre historique. ◎ *Via dell'Accademia 9 • plan D2 • 0574 27 920 • €€€.*

9 Il Pirana, Prato
Très bon restaurant de fruits de mer. ◎ *Via Valentini 110 • plan D2 • 0574 25 746 • ferm. sam. midi et dim. • €€€.*

10 Lo Storno, Pistoia
Trattoria agréable. La carte change régulièrement. ◎ *Via del Lastrone 8 • plan D2 • 0573 26 193 • €€.*

La Cantinetta di Rignana

Pages suivantes **Ferme isolée au sud de Florence**

Gauche **Porte d'Arezzo** Centre **Bas-relief, Cortona** Droite **Céramique artisanale, Cortona**

Le nord-est de la Toscane

L a province d'Arezzo est bordée au nord par les forêts touffues du Casentino dans la haute vallée de l'Arno, et au sud par le Val di Chiana, une vaste plaine sise entre les bassins supérieurs de l'Arno et du Tibre. Sur le plan artistique, outre Caprese, au nord, qui vit naître Michel-Ange, deux villes conservent des œuvres remarquables de deux géants du début de la Renaissance : au nord, Sansepolcro, où est né Piero della Francesca (p. 50), et au sud, Cortona (Cortone), patrie de Luca Signorelli (1441-1523), dont Michel-Ange étudia attentivement la technique de peinture à fresque.

Les sites du nord-est de la Toscane

1 Arezzo	**6** Lucignano
2 Cortona (Cortone)	**7** La Verna
3 Sansepolcro	**8** Castiglion Fiorentino
4 Monte San Savino	**9** Poppi
5 *Vierge de l'enfantement,* Monterchi	**10** Camaldoli

Place d'Arezzo

Restaurant La Locanda nel Loggiato, Cortona

Maisons médiévales, Cortona

Arezzo

Ville étrusque puis colonie romaine, Arezzo compta quelques gloires comme Guido Monaco, inventeur de la notation musicale moderne au XIe s., le poète Pétrarque (1304-1374) et l'artiste Giorgio Vasari (1511-1574), auteur de *Vies d'artistes*, le premier recueil historique sur l'art. Le centre-ville médiéval se déploie autour de la Piazza Grande, bordée par Santa Maria della Pieve. Flanquée d'un campanile, sa façade, de style romano-lombard, abrite un polyptyque gothique de Pietro Lorenzetti (1320). Le Duomo est orné de vitraux de Guillaume de Marcillat et de la célèbre fresque *Sainte Marie-Madeleine* de Piero della Francesca. San Francesco conserve la fresque de la *Légende de la sainte Croix*, de Piero della Francesca. ✎ *Plan F3 • office de tourisme : piazza della Repubblica 28 • 0575 377 678 • www.apt.arezzo.it*

Cortona (Cortone)

Nichée sur une colline superbe, Cortona abrite des tombes étrusques, des ruelles médiévales, des œuvres Renaissance et d'excellents restaurants *(p. 38-41)*.

Sansepolcro

Cette ville industrielle est surtout la patrie du grand Piero della Francesca *(p. 50)*. Le Museo Civico conserve notamment des œuvres de Signorelli et du Pontormo, et trois Piero della Francesca : le polyptyque de la *Miséricorde* (1445-1462), un fragment de la fresque de *Saint Julien* (1458) et une fascinante *Résurrection* (1463). ✎ *Plan F3 • office de tourisme : via Matteotti 8 • 0575 740 536.*

Monte San Savino

La ville est célèbre pour ses collections de céramiques anciennes et contemporaines. La petite église Santa Chiara possède des terres cuites du sculpteur local Andrea Sansovino (1460-1529). Ce dernier a remanié la façade et les cloîtres de Sant'Agostino et a probablement construit la Loggia dei Mercanti qui fait face au charmant Palazzo del Monte, réalisé par Antonio da Sangallo l'Ancien. ✎ *Plan F4 • office de tourisme : piazza Gamurrini 3 • 0575 849 418.*

Monte San Savino

Gauche **Monastère de La Verna** Droite **Castello, Poppi**

5 Vierge de l'enfantement, Monterchi

C'est dans la chapelle du cimetière que se trouve l'un des chefs-d'œuvre de Piero della Francesca. Dans cette œuvre étonnante, l'artiste représente la Vierge enceinte dans une posture naturelle, l'expression réfléchie, sous un baldaquin tenu de chaque côté par deux anges qui sont le reflet l'un de l'autre.
⬡ *Plan F3* • *Via della Reglia 1* • *0575 70 713* • *ouv. mar.-dim. 9h-13h, 14h-19h (18h oct.-mars)* • *EP.*

6 Lucignano

Les rues de cette petite ville médiévale montent en quatre cercles concentriques jusqu'à la collégiale du XVIᵉ s. Dans le Palazzo Comunale, peintures siennoises des XIVᵉ et XVᵉ s., et

Saint François

Fils d'un riche marchand d'Assise, saint François (1182-1226) renonce à sa vie dorée en 1204 et s'entoure de disciples qui, comme lui, font vœu de pauvreté. Fondateur de l'ordre des Franciscains en 1209, il reçoit les stigmates de la Passion en 1224 alors qu'il prie à La Verna. Il a exprimé son idéal de pureté dans le *Cantique du soleil*, l'un des premiers textes de la littérature italienne.

l'*Arbre de Lucignano,* un reliquaire en or de 2 m de hauteur (1350-1471). ⬡ *Plan F4.*

7 La Verna

Le couvent fondé par saint François est accroché sur une éminence rocheuse. Un couloir décoré de fresques baroques le relie à la Cappella delle Stimate, élevée dans la grotte où le saint reçut les stigmates en 1224. Après la visite, poursuivez par le Sasso Spico pour accéder au mont Penna, au-dessus du monastère, où saint François se retirait pour prier.
⬡ *Plan F3* • *santuario della Verna*
• *0575 599 356*
• *ouv. 7h-19h*
• *EG.*

Les toits de Lucignano

Paysage près de Monterchi

Castiglion Fiorentino
Sur la Piazza del Municipio, le Palazzo Comunale conserve les *Stigmates de saint François* de Bartolomeo della Gatta. L'église Sant'Agostino abrite un tableau du saint par Margaritone d'Arezzo (XIIIe s.). ◉ *Plan F4 • office de tourisme : piazza Risorgimento 19 • 0575 658 278.*

Poppi
Cette chamante ville bâtie au sommet d'une colline est dominée par le Castello des comtes Guidi (1274-1300), construit par Lapo et Arnolfo di Cambio, architecte du Palazzo Vecchio de Florence. La chapelle est ornée de fresques de Taddeo Gaddi. ◉ *Plan F3.*

Camaldoli
Saint Romuald fonda en 1012 l'ermitage auquel on accède par un sentier forestier de 1,6 km. C'est un ensemble de petites maisons doté d'une église baroque (les femmes n'y sont pas admises). Le monastère date des XVIIe et XVIIIe s., et l'église fut décorée par Vasari au XVe s. ◉ *Près de Camaldoli • plan F2 • 0575 556 012 • www.camaldoli.it • ouv. hiver 9h-13h, 14h30-19h ; été 9h-13h, 14h30-19h30 • EG.*

Une journée à Arezzo

Le matin

🕐 Commencez par le Museo Archeologico Mecenate, élevé sur l'amphithéâtre romain, qui possède des vases corallins et des objets préhistoriques.

☕ Prenez ensuite un cappuccino sur la Piazza Grande dans l'un des cafés sous les arcades du Palazzo delle Loge, réalisé par Vasari. Visitez ensuite la Pieve di Santa Maria.

Passez devant la Casa di Petrarca (maison natale du poète) pour visiter le Duomo orné de beaux vitraux. Le jeudi et le vendredi matin, vous pourrez visiter le Museo del Duomo qui possède des œuvres de Bartolomeo della Gatta, Signorelli, Spinello et Parri Aretino.

🔧 Redescendez la colline pour déjeuner à **La Buca di San Francesco** *(p.105).*

L'après-midi

Après avoir réservé (05 75 206 30 ; lun.-ven. 9h-18h, sam. 9h-13h), rendez-vous à San Francesco pour les fresques de Piero della Francesca *(p. 47).*

🍦 Achetez une glace chez **Il Gelato** *(p. 104),* puis descendez par la Via Cavour jusqu'à la Badia dont la voûte au-dessus du maître-autel est ornée d'une belle coupole en trompe l'œil peinte en 1702 par l'artiste baroque Andrea Pozzo.

La Via Garibaldi mène à SS Annunziata et au Museo Statale d'Arte Medievale e Moderna qui présente des sculptures romanes, des majoliques et des tableaux de Parri Aretino et Vasari.

Gauche **Antica Drogheria** Centre **Caffè la Torre, Arezzo** Droite **La Buca di San Francesco**

🔟 Boutiques et cafés

1 Stock Prada, Montevarchi
Arrivez assez tôt dans cet entrepôt d'usine qui propose des remises incroyables sur des modèles haute couture. Pas loin de l'A1. ✆ *Levanella (S 69) • plan E3 • 055 978 9635.*

2 Caffè la Torre, Arezzo
Ce café animé est installé en plein centre-ville dans un palais du XIVᵉ siècle. Jardin et terrasse très agréables.
✆ *Corso Italia 102 • plan F3 • 0575 24 728 • ouv. lun.-mar., jeu.-ven., dim. 10h-21h, sam. 10h-13h (en été t.l.j. jusqu'à minuit) • ferm. mer. • €.*

3 Fiera Antiquaria, Arezzo
Tous les mois, ce célèbre marché réunit plus de 600 antiquaires qui s'installent sur la Piazza Grande et dans les rues alentour. ✆ *Piazza Grande • plan F3 • ouv. 1ᵉʳ week-end du mois 7h30-15h.*

4 Il Cocciaio, Cortona
Céramique traditionnelle en jaune, vert et crème. Utilisés à l'origine par Gino Severini, les motifs de marguerite sont fréquents. ✆ *Via Nazionale 69/Via Benedetti 24 • plan F4.*

Caffè la Torre, Arezzo

5 Antica Drogheria, Cortona
Cette jolie boutique propose des vins, de la grappa et des produits fabriqués par les moines de Camaldoli. ✆ *Via Nazionale 3 • plan F4 • ouv. 9h-13h, 15h-20h.*

6 Sotto San Francesco, Arezzo
Grand choix de vins, d'huiles d'olive et de produits locaux, dont les céramiques et fers forgés de Monte San Savino ou les dentelles d'Anghiari. ✆ *Via di S. Francesco 5 • plan F3.*

7 Caffè degli Artisti, Cortona
Mi-bar, mi-boutique touristique : miel sauvage, confitures, biscuits, viandes, épices et huile d'olive. ✆ *Via Nazionale 18 • plan F4 • ouv. mar.-dim.*

8 Uno A Erre, Arezzo
Vente, au prix de gros, de beaux bijoux de ce fabricant mondialement réputé.
✆ *Via Fiorentina 550, Strada Statale di Val d'Arno • plan F3 • ouv. lun.-sam.*

9 Macelleria Aligi Barelli, Arezzo
Célèbre boucher, spécialisé dans les viandes (le salami) de la région du Casentino ; parfait pour les pique-niques. ✆ *Via della Chimera 22b • plan F3.*

10 Il Gelato, Arezzo
Une *gelateria* traditionnelle. Essayez leurs parfums maison, dont la *pinolata* (pignons de pin). ✆ *Via de' Cenci 24 • plan F3 • ferm. mer.*

Autres boutiques en Toscane p. 136

Catégories de prix

Pour un repas complet	€ moins de 25 €
(entrée, plat, dessert) avec	€€ de 25 à 35 €
une demi-bouteille de vin	€€€ de 35 à 55 €
ou une autre boisson,	€€€€ de 55 à 70 €
taxes et service compris.	€€€€€ plus de 70 €

Gauche **Locanda dell'Amorosa, Amorosa** Droite **Enseigne de restaurant, Cortona**

🏆🔟 Restaurants

1 Locanda dell'Amorosa, Amorosa

Ferme et auberge du XIVe s. avec un élégant restaurant aménagé dans les anciennes écuries. Décor rustique pour une cuisine toscane raffinée. Réservation recommandée. ✆ *Près de Sinalunga* • *plan F4* • *0577 677 211* • *www.amorosa.it* • *ferm. lun.* • *€€€€€.*

2 Il Falconiere, Cortona

Silvia et Riccardo Baracchi ont transformé la *limonaia* de leur domaine du XVIIe s. en l'un des meilleurs restaurants de la région, étoilé au *Michelin*. Excellente cuisine toscane rehaussée de saveurs parfumées. ✆ *San Martino in Bocena 370 (sortie N de Cortona)* • *plan F4* • *0575 612 679* • *€€€€.*

3 La Buca di San Francesco, Arezzo

Restaurant sympathique situé dans une cave. Cuisine généreuse *(p. 73)*. ✆ *Via di S. Francesco 1* • *plan F3* • *0575 23 271* • *ferm. lun. soir, mar.* • *€.*

4 Ristorante Fiorentino, Sansepolcro

Auberge à l'ancienne servant une cuisine savoureuse *(p. 73)*. ✆ *Via L. Pacioli 60* • *plan F3* • *0575 742 033* • *ferm. mer.* • *€€.*

5 Preludio, Cortona

Ce restaurant gastronomique sert une nouvelle cuisine toscane dans un palais Renaissance. ✆ *Via Guelfa 11* • *plan F4* • *0575 630 104* • *€€.*

6 La Locanda nel Loggiato, Cortona

On vient ici pour profiter du merveilleux balcon et déguster la cuisine toscane, à base de produits locaux. ✆ *Piazza di Pescheri 3* • *plan F4* • *0575 630 575* • *ferm. mer.* • *€.*

7 Trattoria il Saraceno, Arezzo

Ce restaurant familial, qui propose une cuisine toscane traditionnelle, est un excellent choix. L'accueil est chaleureux. ✆ *Via Mazzini 6* • *plan F3* • *0575 27 644* • *ferm. mer.* • *€€.*

8 La Grotta, Cortona

Terrasse sur une petite place, intérieur de pierre médiéval, cuisine toscane généreuse : l'endroit est très fréquenté par la population locale. ✆ *Piazza Baldelli 3* • *plan F4* • *0575 630 271* • *ferm. mar.* • *€€.*

9 Antica Osteria l'Agania, Arezzo

Trattoria confortable servant une bonne cuisine comme les *grifi e polenta* (joues de veau et polenta). ✆ *Via Mazzini 10* • *plan F3* • *0575 295 381* • *ferm. lun.* • *€.*

🔟 Totò, Lucignano

Osteria toscane installée dans un bel hôtel. Les habitués laissent carte blanche à Boris et à Beatrice, indiquant seulement la taille de leur portion. ✆ *Piazza Tribunale 6* • *plan F4* • *0575 836 763* • *ferm. mar.* • *€€.*

Sauf mention contraire, tous les restaurants acceptent les cartes de paiement et servent des plats végétariens.

Gauche **Marché, Lucca** Centre **Café, Lucca** Droite **Tour penchée, Pise**

Le nord-ouest de la Toscane

*C*ette région comprend de vastes plaines bordées par la côte ligure à l'ouest et par les Alpes Apuanes à l'est. Lucques, Pise et Livourne, ses trois villes principales, entretiennent toujours une certaine rivalité. Lucques, paisible et élégante, conserve un patrimoine de toute beauté, symbole de sa fierté et de son indépendance préservée vis à vis de Florence. De même, les trésors romans de Pise rappellent le passé maritime prestigieux de la ville, aujourd'hui centre universitaire animé. Créé au XVIe s., le port de Livourne est désormais l'un des plus grands du pays.

Gauche **Baptistère, Pise** Droite **Monument des Quatre Maures, Livourne**

🗺 Les sites du nord-ouest de la Toscane

1 Pise (Pisa)
2 Lucques (Lucca)
3 Livourne (Livorno)
4 Viareggio
5 La Garfagnana
6 Carrare (Carrara)
7 Montecatini Terme
8 Pontremoli
9 Carrières de marbre de Fantiscritti
10 Forte dei Marmi

Pise (Pisa)

Destination touristique majeure, Pise possède bien plus que sa célèbre tour penchée. Le Campo dei Miracoli est un ensemble roman exceptionnel, l'un des principaux sites de Toscane *(p. 22-25)*.

Lucques (Lucca)

Cette élégante ville est ornée de remarquables façades romanes et de sculptures Renaissance. Un autre site majeur de Toscane *(p. 42-43)*.

Livourne (Livorno)

Devant l'ensablement du port de Pise et la fidélité incertaine de la ville, sous une domination florentine depuis le XVIe s., le grand-duc Cosimo Ier chargea Buontalenti de créer un nouveau port. Depuis, Livourne n'a cessé de croître. Deuxième ville de Toscane, elle ne peut s'enorgueillir du patrimoine architectural de Pise mais mérite le détour. Le quartier de Venezia Nuova (Venise nouvelle) est très agréable avec ses nombreux canaux. Le port possède le beau *Monumento dei Quatri Mori* de Pietro Tacca (1624). Quant au Museo Civico Giovanni Fattori, il conserve les œuvres des Macchiaoli, courant proche de l'impressionnisme dont Fattori fut l'un des chefs de file.

Vue aérienne de Lucca

Livourne est la ville natale du peintre Amedeo Modigliani et de Pietro Mascagni, le compositeur. Plan C3 • office de tourisme : guichet principal, piazza Cavour 6 • 0586 204 611 • www.costadeglietruschi.it

Viareggio

Viareggio est la station balnéaire la plus réputée de la Riviera della Versilia. Ses bâtiments Art déco et orientalisants, ses nombreuses villas et ses cafés rappellent que la ville était déjà à la mode dans les années 1920. Son carnaval *(p. 67)*, qui se termine par un défilé de chars très original, est célèbre dans toute l'Italie. Plan C2 • office de tourisme : viale Carducci 10 • 0584 962 233 • www.versilia.net

Gauche **Lucques** Droite **Port de Livourne**

Gauche **Montagnes de Garfagnana** Droite **Affiche vantant la station de Forte dei Marmi**

5 La Garfagnana

Au nord de Lucca, cette région montagneuse est traversée par la vallée du Serchio et bordée par les Alpes Apuanes, un parc naturel où se trouve la Grotta del Vento. Très boisée, elle est propice aux excursions qui vous permettront de découvrir ses nombreux villages, tel Borgo a Mozzano, et son pittoresque Ponte della Maddalena, surnommé Ponte del Diavolo : selon la légende, il aurait été édifié par le diable en échange de la première âme qui le traverserait (les villageois envoyèrent un chien).

Bagni di Lucca fut au XIXe s. l'une des stations thermales les plus élégantes d'Europe. Le Duomo blanc de Barga abrite une chaire de marbre, sculptée au XIIIe s. par Guido da Como. La forteresse de Castelnuovo di Garfagnana, du XIVe s., appartenait aux ducs de la maison d'Este : un de ses gouverneurs fut le poète l'Arioste. ✪ *Plan C2-D2 • office de tourisme : Lucca (p. 42).*

6 Carrara (Carrare)

La ville est célèbre pour son marbre blanc, travaillé par les artistes depuis l'Antiquité, et ses rues sont bordées d'ateliers. Sur la place

Castelnuovo di Garfagnana

Giacomo Puccini

Le compositeur d'opéra (1858-1924) est né à Lucca, Corte San Lorenzo 9. La maison abrite un petit musée présentant des partitions et le piano sur lequel il composa *Turandot*. Ses autres chefs-d'œuvre *La Bohème*, *Tosca* et *Madame Butterfly* furent composés dans sa villa en bordure du lac Massaciuccoli, également transformée en musée.

---

principale, face au Duomo de marbre blanc orné d'une remarquable façade romano-gothique, une plaque indique la maison qu'occupait Michel-Ange quand il venait choisir ses blocs de marbre. L'Académie des Beaux-Arts conserve des sculptures romaines dont l'autel Edicola dei Fantiscritti. ✪ *Plan C2 • office de tourisme : piazza Cesare Battisti 1 • 0585 641 422/641 471.*

7 Montecatini Terme

Cette élégante station thermale mérite un détour pour ses beaux hôtels du XIXe s. et son architecture à la fois classique et Art déco des années 1920-1930. Au-dessus de la ville, Montecatini Alto représente une excursion agréable, tout comme, à 3 km,

Montecatini Alto

la station de Monsummano
(p. 68) et ses « saunas »
naturels. ✪ *Plan D2 • office de
tourisme : viale Verdi 66 • 0572 772 244.*

8 Pontremoli
À l'extrémité nord de
la Toscane, le joli village de
Pontremoli abrite le Museo delle
Statue-Stele qui expose une
vingtaine de statues-stèles
datant de l'âge du bronze et une
insolite collection de menhirs.
✪ *Plan B1 • musée : Castello di Piagnaro
• 0187 831 439 • ouv. mar.-dim. • EP.*

**9 Carrières de marbre
de Fantiscritti**
Au-dessus de Carrara, les
carrières de marbre donnent
aux Alpes Apuanes l'aspect de
sommets enneigés. Fantiscritti
possède un musée qui retrace
l'histoire du travail du marbre.
On y accède par une route en
bordure de la rivière Carrione,
une ancienne voie ferrée qui
reliait les docks. ✪ *Plan C2
• 9h-crépuscule • EG.*

10 Forte dei Marmi
Une station balnéaire très
chic composée d'un village au
cœur d'une pinède et de plages
bordées de cabines de bains
colorées. ✪ *Plan C2 • office de
tourisme : via Franceschi 8 • 0584 80091.*

Une journée à Pise et à Lucques

Le matin

🕐 Commencez par le Campo
dei Miracoli de **Pise**
(p. 22-25) où vous pourrez
admirer les chaires
gothiques de Giovanni et
Nicola Pisano du **Duomo**
(p. 23) et le baptistère.
Le Museo delle Sinopie
conserve les esquisses
des fresques du
Camposanto, et le Museo
dell'Opera del Duomo
abrite des œuvres
provenant des différents
monuments.

Rendez-vous ensuite au
Museo San Matteo qui
possède une collection de
peintures. Promenez-vous
le long de l'Arno jusqu'au
Ponte di Mezzo, prenez le
Borgo Stretto sur la droite,
puis tournez à gauche pour
arriver sur le marché
Vettovaglie où se trouve la
Trattoria Sant'Omobono
(p. 73).

L'après-midi

Partez pour **Lucques**
(p. 42-43) où vous
commencerez par le
Duomo *(p. 46)*, avant
de monter au sommet
de la Torre Guinigi.

Marchez jusqu'à la Piazza
Anfiteatro pour admirer les
mosaïques de la façade de
San Frediano, puis les
fresques de la 2e chapelle
de gauche. Promenez-vous
ensuite sur l'élégante Via
Fillungo pour faire du
lèche-vitrine, avant de
visiter l'imposante église
San Michele in Foro.

Terminez par les remparts.
Si vous passez la nuit à
Lucca, louez un vélo que
vous rendrez le lendemain,
sinon découvrez les
remparts à pied.

➤ *Pise et Lucques* p. **22-25 et 42-43**

Gauche **Boutiques, Lucques** Centre **Boulangerie, Lucques** Droite **Da Bruno, Pise**

🔟 Boutiques et cafés

1 Arturo Pasquinucci, Pise
Faites-vous plaisir dans cette boutique de 1870 qui vend de la vaisselle et des ustensiles de cuisine italiens, de la porcelaine contemporaine aux créations d'Alessi. ⊗ *Plan C3 • Via Oberdan 22.*

2 Caffè dell'Ussero, Pise
Ce café qui donne sur l'Arno existe depuis 1794. C'est l'un des plus anciens cafés littéraires du pays et un haut lieu de la culture et de l'élite pisanes.
⊗ *Plan C3 • Lungarno Pacinotti 27 • pas de carte bancaire • €.*

3 Carli, Lucques
Sous des arcades ornées de fresques (1800), ce grand joaillier vend des bijoux anciens, de l'argenterie et des montres.
⊗ *Plan C2 • Via Fillungo 95.*

4 Enoteca Vanni, Lucques
Le meilleur marchand de vins de Lucca vous émerveillera avec ses centaines de bouteilles entassées dans d'anciennes caves. ⊗ *Plan C2 • Piazza Salvatore 7.*

5 Antico Caffè di Simo, Lucques
Depuis 1846, ce café est le rendez-vous de l'élite musicale et littéraire de Lucca. La décoration est d'origine, et la carte et les pâtisseries sont excellentes.
⊗ *Plan C2 • Via Fillungo 58 • €.*

6 Forisportam, Lucques
Autre belle boutique pour se faire plaisir : céramiques de Montelupo et Deruta, de style Renaissance et richement décorées, à des prix décents.
⊗ *Plan C2 • Piazza S. Maria Bianca 2.*

7 Caffè Così, Montecatini Alto
Dans le petit village au-dessus de Montecatini Terme, un café très populaire depuis 1878 qui propose des douzaines de cocktails et de nombreuses glaces aux fruits exotiques.
⊗ *Plan D2 • Piazza G. Giusti 1 • €€.*

8 La Capannina, Forte dei Marmi
Depuis 70 ans, La Capannina sert les meilleurs rafraîchissements du bord de mer. C'est à la fois un restaurant et un cocktail-bar.
⊗ *Plan C2 • Viale A. Franceschi • €€.*

9 Fappani, Viareggio
Excellentes viennoiseries maison pour un café matinal, de préférence sur la terrasse de ce célèbre établissement situé au cœur du quartier commerçant, sur la promenade en bord de mer. ⊗ *Plan C2 • Viale Marconi 1.*

10 Rossi, Viareggio
Depuis plusieurs générations, cette affaire familiale vend d'élégants articles des grands noms de la joaillerie italienne. La boutique du Viale Marconi propose des accessoires en or et en argent pour une clientèle plus jeune. ⊗ *Plan C2 • Viale Margherita 50/ Viale Marconi 16.*

 Autres boutiques en Toscane p. **122-123 et 136-137**

Catégories de prix

Pour un repas complet **€** moins de 25 €
(entrée, plat, dessert) avec **€€** de 25 à 35 €
une demi-bouteille de vin **€€€** de 35 à 55 €
ou une autre boisson, **€€€€** de 55 à 70 €
taxes et service compris. **€€€€€** plus de 70 €

Gauche **La Mora a Moriano, près de Lucca** Droite **La Bucca di Sant'Antonio, Lucca**

🔟 Restaurants

1 La Buca di Sant'Antonio, Lucques
Très grand restaurant : cuisine exceptionnelle alliée à un service raffiné et sympathique *(p. 72)*.
🕲 *Plan C2 • Via della Cervia 3 • 0583 55 881 • ferm. dim. soir, lun. • €€.*

2 Da Bruno, Pise
Une trattoria aussi chère qu'un restaurant. Très bonne cuisine locale, comme la *zuppa pisana ribolitta* et le *tiramisù sundae.* 🕲 *Plan C3 • Via Luigi Bianchi 12 • 050 560 818 • ferm. mar. • €€€.*

3 Romano, Viareggio
La famille Franceschini dirige l'un des meilleurs restaurants de fruits de mer d'Italie. Excellents vins. 🕲 *Plan C2 • Via Mazzini 120 • 0584 31 382 • ferm. lun. • €€€€.*

4 Da Galileo, Livourne
Un restaurant très simple servant une cuisine locale. Le poisson est à l'honneur : essayez la morue aux oignons ou les *fettucine* aux fruits de mer.
🕲 *Plan C3 • Via della Campana 20 • 0586 889 009 • ferm. mer., dim. soir • €€€.*

5 'L Purtunzin d'Ninan, Carrara
Restaurant-bar à vins, petit mais confortable, où les chefs ont fait leurs armes avec les plus grands. 🕲 *Plan C2 • Via Bartolini 3 • 0585 74 741 • ferm. lun. €€€.*

6 Venanzio, Colonnata, près de Carrara
Venanzio Vannucci produit son propre *lardo di Colonnata* (lard de porc aux épices). À ne pas manquer ! Essayez aussi les raviolis aux herbes de montagne ou la pintade aux truffes.
🕲 *Plan C2 • Piazza Palestro 3 • 0585 758 033 • ferm. jeu. et dim. soir • €€€.*

7 Osteria dei Cavalieri, Pise
Un lieu accueillant au bas d'une tour médiévale. Testez les champignons et les haricots.
🕲 *Plan C3 • Via San Frediano 16 • 050 580 858 • ferm. sam. midi, dim. • €€€.*

8 La Mora a Moriano, près de Lucques
Cuisine lucquoise traditionnelle et savoureux *cacciucco* (bouillabaisse). 🕲 *Plan C2 • Via Ludovica 1748 • 0583 406 402 • ferm. mer. • €€€.*

9 Da Leo, Lucques
Essayez la *zuppa ai cinque cereali,* soupe aux céréales et aux légumes.
🕲 *Plan C2 • Via Tegrimi 1 • 0583 492 236 • pas de carte bancaire • €.*

Da Leo, Lucca

10 Ghiné e Cambri, Livourne
Restaurant situé à la sortie de la ville. Excellents fruits de mer. 🕲 *Plan C3 • Via di Quercianella 263 • 0586 579 414 • ferm. oct.-mai, lun.-mar. • €€.*

➔ *Sauf mention contraire, tous les restaurants acceptent les cartes de paiement et servent des plats végétariens.*

Gauche **Façade d'église, San Gimignano** Centre **Piazza, Massa Marittima** Droite **Céramique locale**

Collines toscanes

P our beaucoup, les plus belles collines toscanes se trouvent surtout à l'ouest de Sienne. Sans doute parce que l'image des tours majestueuses de San Gimignano se détachant sur le ciel bleu est justement célèbre, tout comme le paysage chaotique et les ruelles médiévales de Volterra. Un peu moins touristique, le Val d'Elsa reste méconnu bien que ses collines ondulées abritent de superbes villes et villages au riche patrimoine artistique, comme Colle di Val d'Elsa, Certaldo et Castelfiorentino. Vous y rencontrerez moins de monde, et c'est une excellente occasion de découvrir une Toscane authentique.

🔟 Sites et villes des collines toscanes

1. San Gimignano
2. Volterra
3. Massa Marittima
4. Monteriggioni
5. San Galgano
6. Colle di Val d'Elsa
7. Empoli
8. San Miniato
9. Certaldo
10. Castelfiorentino

Massa Marittima

Piazza della Cisterna, San Gimignano

Les collines toscanes p. 56-57

Atelier d'albâtre, Volterra

San Gimignano
La ville la plus célèbre des collines toscanes figure en bonne place dans cet ouvrage pour ses tours impressionnantes, ses fresques splendides et son fameux vin blanc *(p. 18-19)*.

Volterra
Réputée pour son travail de l'albâtre, Volterra fut l'une des douze puissantes cités étrusques avant d'être conquise par les Romains, comme en témoignent les vestiges d'un théâtre et de bains à l'extérieur de l'enceinte médiévale. Le Museo Etrusco Guarnacci *(p. 48)* possède l'une des plus belles collections étrusques d'Italie, et les têtes de basalte de la Porta all'Arco (IVe s. av. J.-C.) représentent des divinités étrusques. Le Duomo roman abrite des œuvres Renaissance et sa nef est couverte d'un plafond à caissons datant du XVIe s. La Pinacoteca conserve un polyptyque de Taddei di Bartolo (1411), un *Christ en gloire avec saints* de Ghirlandaio (1492), une *Annonciation* de Luca

Signorelli (1491) et la remarquable *Déposition de Croix* du Rosso Fiorentino (1521). ✎ *Plan D4 • office de tourisme : via Giusta Turazza 2 • 0588 861 50 • www.volterra-toscana.net*

Massa Marittima
Cette ancienne cité minière possède un riche patrimoine artistique. Le Duomo romano-pisan a une belle façade dont la partie inférieure est ornée de bas-reliefs préromans. Le Palazzo del Podestà conserve une magnifique *Vierge en majesté* d'Ambrogio Lorenzetti (1340) et une surprenante stèle préhistorique. La Città Nuova, la ville haute dessinée au XIVe s., est entourée de remparts reliés par un arc étonnant à la Torre dei Candeliere, de style gothique, d'où la vue sur la ville et les collines Métallifères à l'horizon est superbe. ✎ *Plan D4*
• office de tourisme : via N. Parenti 22
• 0566 902 756 • www.amatur.it
• guichet d'information : piazza Garibaldi 1
• 0566 902 289.

Monteriggioni
Ce minuscule hameau, traversé par une rue unique où s'ouvre une vaste place, est entouré d'une impressionnante muraille médiévale flanquée de 14 tours massives carrées. Dante les a comparées aux Titans qui gardent les portes de l'Enfer. Festival médiéval d'une semaine en juillet ✎ *Plan E4 • office de tourisme : piazza Roma • 0577 304 834.*

Gauche **Piazza Garibaldi, Massa Marittima** Droite **Artisan, Monteriggioni**

Visiter la Toscane – Collines toscanes

Gauche **San Galgano** Droite **Palazzo Campana, Colle di Val d'Elsa**

San Galgano

De cette abbaye gothique fondée en 1201 ne subsistent que les murs de l'église. Au-dessus, la chapelle San Galgano Montesiepi conserve l'épée de saint Galgano scellée dans la pierre. Dans la chapelle voisine, des fresques d'Ambrogio Lorenzetti (1344) évoquent la vision du saint *(p. 29)*. ✎ *Plan E4 • Abbazia di S. Galgano • ouv. 8h-12h, 14h-coucher du soleil • EG.*

Colle di Val d'Elsa

Entrez par l'arcade qui sert d'assise au Palazzo Campana, de style maniériste, construit par Baccio d'Agnolo (1539). Le Duomo abrite un Christ de bronze de Giambologna et un tabernacle de Mino da Fiesole où est conservé un clou de la Croix. Dans le Palazzo Pretorio, le Musée archéologique présente un mobilier funéraire retrouvé dans une nécropole de Monteriggioni. Dans le Palazzo dei Priori, décoré

> ### Dante
>
> Le poète Dante Alighieri (1265-1321), partisan du parti guelfe, est évincé des affaires et exilé de Florence quand la ville tombe aux mains des gibelins. Parcourant l'Italie, il se consacre à la réflexion philosophique et moraliste. *La Divine Comédie*, écrite en toscan et non en latin, donne naissance à la littérature et à la langue italiennes.

de *sgraffiti*, le Museo Civico expose des peintures siennoises. ✎ *Plan E3 • office de tourisme : via Campana 43 • 0577 922 791.*

Empoli

La Piazza Farinata degli Uberti est bordée de palais et de la collégiale romane Sant'Andrea. Le Museo della Collegiata possède, notamment, une remarquable *Pietà* de Masolino (1425) et des fonts baptismaux de Bernardo Rossellino (1447). Santo Stefano abrite une

Piazza Farinata, Empoli

Duomo, San Miniato

Annonciation de Rossellino et une *Vierge à l'Enfant,* fresque de Masolino.
◈ *Plan D3 • office de tourisme : via G. del Papa 98 • 0571 76 115.*

San Miniato

Siège au Moyen Âge des vicaires impériaux en Toscane, la cité a conservé deux tours de la Rocca (forteresse) construite par l'empereur Frédéric II. D'origine romane, le Duomo a une façade de brique, incrustée de marbre et de majoliques du XIIIe s. ◈ *Plan D3 • office de tourisme : piazza del Popolo 1 • 0571 42 745.*

Certaldo

Boccace (1313-1375), l'auteur du *Décaméron,* vécut ses dernières années dans cette charmante ville où domine la brique. Sa maison, la Casa del Boccacio, a été reconstruite et transformée en petit musée avec une bibliothèque. Benozzo Gozzoli et Giusto di Andrea ont réalisé le tabernacle de Santo Jacopo où se trouvent également un buste (1503) et la dalle du tombeau de Boccace (1954).
◈ *Plan D3 • office de tourisme : piazza Masini • 0571 656 721.*

Castelfiorentino

Santa Verdiana est assurément la plus belle église baroque de Toscane. Sa voûte est ornée d'une fresque évoquant la vie de sainte Verdiana, qui resta emmurée pendant 34 ans en compagnie de deux serpents envoyés par Dieu pour la mettre à l'épreuve. ◈ *Plan D3 • office de tourisme : via Ridolfi, à la gare • 0571 629 049 • ferm. nov.-mars.*

Trois villes en un jour

Le matin

Commencez par **Monteriggioni** *(p. 113)*. Après une visite rapide (la ville est petite), faites une pause dans l'un des bars de la place pour savourer un *cappuccino*.

Allez ensuite à **Volterra** *(p. 113)* où vous commencerez par les fresques étonnantes de San Francesco. Sur la Piazza dei Priori, admirez le Palazzo dei Priori (1205-1257), le plus ancien édifice civil gothique de Toscane qui en inspira beaucoup d'autres, tel le Palazzo Vecchio de Florence. Entrez dans le Duomo par la porte arrière située dans un recoin de la place. Prenez la Via Sarti pour aller à la pinacothèque, puis continuez sur la Via di Sotto bordée d'ateliers d'albâtre, avant de prendre la Via Don Minzoni jusqu'au Musée étrusque.

L'après-midi

Il Sacco Fiorentino, sur la Piazza XX Settembre, est un bon endroit pour déjeuner rapidement avant de partir pour **San Gimignano** *(p. 18-19)* et d'y arriver au moment où les groupes de visiteurs s'en vont (avant 16 h en hiver, car tout ferme plus tôt). Allez admirer les belles fresques de la Collegiata, puis montez à la Torre Grossa pour jouir d'un des plus beaux panoramas de la région.

Si vous avez le temps, et après le Museo Civico, traversez la ville pour découvrir les fresques de Sant'Agostino (avant 18 h 30). Essayez d'être à la Rocca pour le coucher du soleil sur les tours.

Visiter la Toscane – Collines toscanes

Gauche **Bar I Combattenti** Centre **Gallerie Agostiniane** Droite **L'Incontro**

➊⓿ Boutiques et cafés

➊ Bar I Combattenti, San Gimignano
Dans ce bar de la rue principale, les glaces maison sont excellentes et le café est bon.
◈ *Via S. Giovanni 124 • plan D3 • €.*

➋ Boutiques de souvenirs, San Gimignano
De nombreuses boutiques bordant la Via San Giovanni vendent des arbalètes, des épées et des fléaux de style médiéval plus ou moins réalistes. Certains sont intéressants, mais la plupart n'ont pas grand intérêt.
◈ *Via S. Giovanni • plan D3.*

➌ Società Cooperativa Artieri Alabastro, Volterra
C'est depuis 1895 le principal lieu d'exposition d'objets en albâtre, pour les artisans n'ayant pas de boutique. ◈ *Piazza dei Priori 4-5 • plan D4.*

➍ Galleria Agostiniane, Volterra
Autre lieu d'exposition pour les artisans qui travaillent l'albâtre et qui n'ont pas de boutique.
◈ *Piazza XX Settembre 3-5 • plan D4.*

➎ Enoteca Le Logge, Massa Marittima
Sur la place principale, un agréable café-bar aux tables disposées sous un portique orné de fresques. Les glaces et sandwichs méritent vraiment le détour. ◈ *Piazza Garibaldi 11 • plan D4 • €.*

➏ Enoteca la Botte e il Frantoio, San Gimignano
Cette boutique où Luciano Bruni propose sa *vernaccia* vend aussi d'autres grands vins de Toscane et de l'huile d'olive.
◈ *Via S. Giovanni 56 • plan D3.*

➐ L'Incontro, Volterra
Pâtisseries et panini dans ce bar à vins qui occupe une vaste salle médiévale. Comptoir de charcuteries dans le fond.
◈ *Via Matteoti 18 • plan D4.*

➑ Belli, Colle di Val d'Elsa
Les Étrusques travaillaient le cristal dans la région. Belli est le meilleur atelier qui perpétue la tradition, avec des objets raffinés et des souvenirs.
◈ *Via Diaz 10 • plan E3.*

Céramique, Massa Marittima

➒ Il Cantuccio di Federigo, San Miniato
Les Gazzarrini préparent d'excellents gâteaux, biscuits et pâtisseries depuis cinq générations. Plus de 40 marques de *vino santo* pour accompagner leurs *cantucci.* ◈ *Via P. Maioli 67 • plan D3.*

➓ Spartaco Montagnani, Volterra
Ce sculpteur mérite un détour, car il crée des bronzes originaux ainsi que des copies d'œuvres exposées au musée. ◈ *Via Porta all'Arco 6 • plan D4.*

Autres boutiques en Toscane p. 122-123 et 136-137

Gauche **La Mangiatoia** Droite **Taverna del Vecchio Borgo**

🔟 Restaurants

1 Dorando, San Gimignano
Nappes aussi vives que le service et cartes fascinantes qui expliquent les origines étrusques ou médiévales des plats, très bien cuisinés et présentés. ✎ *Vicolo dell'Oro 2 • plan D3 • 0577 941 862 • ferm. lun. déc.-mars • €€€.*

2 Osteria delle Catene, San Gimignano
Comme toute bonne *osteria*, celle-ci sert de superbes plateaux de fromages et de viandes séchées, et propose un bon choix de vins. ✎ *Via Mainardi 18 • plan D3 • 0577 941 966 • €€.*

3 La Mangiatoia, San Gimignano
La cuisine est créative et savoureuse, même si les plats standards semblent être préparés plus sommairement. Atmosphère animée et musique classique. ✎ *Via Mainardi 5 • plan D3 • 0577 941 528 • €€€.*

4 Da Bado, Volterra
Ce restaurant peu touristique propose une cuisine typique élaborée à partir des produits du marché. ✎ *Borgo S. Lazzaro, à l'extérieur des remparts • plan D4 • 0588 86 477 • €€.*

5 Trattoria del Sacco Fiorentino, Volterra
Profitez des spécialités de saison et des superbes vins dans cette confortable trattoria centrale. ✎ *Piazza XX Settembre • plan D4 • 0588 88 537 • ferm. mer. • €€€.*

6 Osteria da Tronca, Massa Marittima
Murs de pierre et poutres créent le décor de cette trattoria familiale qui sert une cuisine toscane traditionnelle. ✎ *Vicolo Porte 5 • plan D4 • 0566 901 991 • €€.*

7 Taverna dei Vecchio Borgo, Massa Marittima
Dans une salle en arcades, des cochons de lait rôtissent sur les broches de la cheminée. Essayez le *tris di primi*, pour déguster trois spécialités. ✎ *Via Norma Parenti 12 • plan D4 • 0566 903 950 • €€€.*

8 Arnolfo, Colle di Val d'Elsa
Goûtez une cuisine raffinée dans un palais du XVe s. Impressionnante carte des vins avec des crus locaux et de grands vins italiens et étrangers. ✎ *Via XX Settembre 50-52a • plan E3 • 0577 920 549 • €€€€€.*

9 Il Vecchio Mulino, Saline di Volterra
Dans cet ancien moulin du XIXe s., essayez le savoureux *cinghiale alla Volterrana* (sanglier aux olives noires). ✎ *Via del Molino • plan D4 • 0588 44 199 • €€€.*

10 Le Terrazze, San Gimignano
Restaurant à la cuisine exceptionnelle dans l'hôtel Cisterna. Belles vues sur le Val d'Elsa et les collines du Chianti. ✎ *Piazza della Cisterna 23 • plan D3 • 0577 940 328 • €€€.*

Sauf mention contraire, tous les restaurants acceptent les cartes de paiement et servent des plats végétariens.

Gauche **Montepulciano** Centre **Enseigne de restaurant, Pienza** Droite **Thermes, Montepulciano**

Le sud de la Toscane

Nulle autre région ne semble avoir été autant favorisée par Bacchus que les collines au sud de Sienne. Leur sol argileux est idéal pour les vignes et les oliviers, et deux des vins rouges les plus exceptionnels d'Italie en proviennent : le brunello di Montalcino et le vino nobile de Montepulciano. Dans les collines autour de Pienza, les moutons paissent sur les riches herbages et le lait des brebis donne un excellent pecorino. Cités médiévales, monastères isolés, palais Renaissance, chefs-d'œuvre de la peinture siennoise, tombes étrusques et routes bordées de cyprès complètent ce paysage idyllique.

Gauche **Montepulciano** Droite **Maison à flanc de colline, Montalcino**

Les sites du sud de la Toscane

1. **Montepulciano**
2. **Pienza**
3. **Montalcino**
4. **Sant'Antimo**
5. **Chiusi**
6. **Monte Oliveto Maggiore**
7. **San Quirico d'Orcia**
8. **Asciano**
9. **Bagno Vignoni**
10. **Buonconvento**

Forteresse du XIVe s., Montalcino

Montepulciano

Réputée pour son excellent *vino nobile (p. 63)*, la plus haute cité de Toscane est aussi un vrai bijou de la Renaissance. La Via Gracciano nel Corso est bordée de palais que construisirent de grands architectes comme Michelozzo, Sangallo l'Ancien et le Vignole. La partie inférieure du Palazzo Bucelli, au 81, est ornée d'urnes étrusques.

Sur la Piazza Grande s'élèvent le Duomo, deux palais de Sangallo, et le Palazzo Comunale dessiné par Michelozzo, dont les proportions ne sont pas sans rappeler le Palazzo Vecchio de Florence. Le Duomo abrite les éléments d'un monument funéraire de Michelozzo et le remarquable triptyque de l'*Assomption* de Taddeo di Bartolo (1401) qui orne le maître-autel.

Perché au-dessus des remparts se dresse le Tempio di San Biagio (1518-1545) à l'équilibre parfait.
◆ *Plan F4 • office de tourisme : piazza Don Minzoni 1 • 0578 757 341 • www.comune.montepulciano.siena.it et www.siena.turismo.toscana.it*

Pienza

Au XVe s., le pape Pie II chargea Rossellino de transformer son village natal en une cité idéale de la Renaissance. Autour de la Piazza Pio II s'élève ainsi le Duomo *(p. 47)* encadré par le Palazzo Piccolomini et le Palazzo Vescovile. Dans ce dernier, le Museo Diocesano abrite des œuvres de Pietro Lorenzetti, du Vecchietta et de Bartolo di Fredi. Le Corso Rossellino est bordé de nombreuses boutiques. ◆ *Plan F4 • office de tourisme : piazza Dante Alighieri • 0578 748 359 • www.siena.turismo.toscana.it et www.terresiena.it*

Montalcino

Patrie du brunello, le plus grand vin toscan *(p. 63)*, la petite ville est dominée par les vestiges d'une forteresse du XIVe s. où se niche une excellente *enoteca*. Sur la Piazza del Popolo, qui s'étend sur deux niveaux, s'élève une élégante tour du XIIIe s. Le Museo Civico e Diocesano possède des œuvres siennoises du XIIIe au XVe s. et des statues de bois polychromes. ◆ *Plan E4 • office de tourisme : via Costa Municipio 8 • 0577 849 331 • www.siena.turismo.toscana.it et www.terresiena.it*

Sant'Antimo

Seule demeure l'église romane d'influence cistercienne dans un cadre plutôt bucolique *(p. 46)*.

Gauche **Vue de Pienza** Droite **Place, Pienza**

Gauche **Piazza, Chiusi** Droite **Bassin thermal, Bagno Vignoni**

Chiusi

5 Le beau Museo Archeologico Nazionale Etrusco possède une collection de *bucchero* (poteries), de bronzes, de vases canopes anthropomorphes et d'urnes funéraires peintes datant du IIe s. av. J.-C. Le musée organise les visites des nombreux tombeaux étrusques de la vallée. Le Duomo du XIIe s., restauré au XIXe s., est orné de fresques en trompe l'œil (1887-1894). À côté, le Museo della Cattedrale conserve des antiphonaires enluminés du XVe s. de l'abbaye de Monte Oliveto Maggiore. Départ des visites guidées pour le Labirinto di Porsenna, galeries creusées par les Étrusques. ❧ *Plan F5 • office de tourisme : piazza Duomo 1 • 0578 227 667 • www.siena.turismo.toscana.it*

Monte Oliveto Maggiore

6 L'abbaye bénédictine (1313) est nichée dans les collines couvertes de cyprès des *crete senesi*, des terres argileuses, désolées et rugueuses. Le grand cloître est orné de fresques évoquant la vie de saint Benoît,

Museo Archeologico, Chiusi

Les ordres monastiques

Ordre contemplatif, les bénédictins vivent dans des monastères isolés du monde. En revanche, dominicains et franciscains sont des ordres prêcheurs qui préfèrent bâtir de grandes églises dans les villes pour s'adresser aux fidèles. Pour la plupart érudits, les moines travaillent à l'enluminure ou dans des pharmacies, mettant leur connaissance des plantes médicinales au service de la communauté.

---

un cycle vraiment remarquable dont les neuf premiers tableaux sont de Signorelli (1497-1498) et les vingt-cinq autres du Sodoma (1505-1508). Le Sodoma s'y est représenté dans le troisième, son blaireau apprivoisé à ses pieds. ❧ *Plan E4 • Monte Oliveto Maggiore • 0577 707 018 • ouv. 9h15-12h, 15h15-16h45 • EG.*

San Quirico d'Orcia

7 Ce village entouré de remparts crénelés du XVe s. possède une collégiale romane ornée de trois portails, dont un gothique, où sont sculptés des créatures fantastiques, de petits atlantes, des arcades et de fines colonnes reposant sur des lions. À l'intérieur, triptyque de Sano di Pietro. ❧ *Plan E4 • office de tourisme : via Dante Alighieri 33 • 0577 897 211.*

Asciano

8 Ce village médiéval est entouré d'une enceinte du XIVe s. À côté de la Collegiata romane, le Museo d'Arte Sacra expose des œuvres siennoises d'Ambrogio Lorenzetti, Segna di Buonaventura et Francesco di Valdambrino. Dans une église désaffectée, le petit Museo Etrusco conserve des vases des Ve-IIIe s. av. J.-C. ⊗ *Plan E4 • office de tourisme : Via Cassioliz • 0577 718 666 • www.siena.turismo.toscana.it*

9 Bagno Vignoni

Petit village, construit autour d'un bassin d'une eau chaude, riche en sulfates de magnésium et de calcium. Ancien centre thermal romain, sainte Catherine vint y soigner sa tuberculose et Lorenzo il Magnifico son arthrite. Malheureusement, le centre thermal a été rénové et l'ancien bassin n'est plus ni entretenu ni utilisé. ⊗ *Plan E5.*

10 Buonconvento

Dans le petit centre historique, le Museo d'Arte Sacra expose des œuvres siennoises de Duccio, Sano di Pietro et Matteo di Giovanni. Ce dernier a aussi laissé une *Vierge à l'Enfant* dans l'église Santi Piero e Paolo du XIVe s. ⊗ *Plan E4 • office de tourisme : pizzale Garibaldi • 0577 807 181 • www.siena.turismo.toscana.it*

Basilique, Asciano

Un jour en voiture

Le matin

🕘 Commencez dès 9 h par le Museo Archeologico Etrusco de **Chiusi**. Après cette introduction, traversez la place pour participer à la visite du Labirinto di Porsenna. Comme elles ont lieu toutes les demi-heures, profitez-en pour suivre une visite du Museo della Cattedrale (10 min).

Prenez la route S 146 jusqu'à **Montepulciano** (p. 119). Garez-vous en bas de la ville pour remonter la Via Gracciano nel Corso. Depuis 1858, le Caffè Poliziano (Via Votaio nel Corso 27-29) propose des déjeuners légers avec une vue imprenable sur la campagne.

L'après-midi

Continuez la rue principale, jetez un coup d'œil dans l'église del Gesù pour le dôme en trompe l'œil d'Andrea Pozzo. Passez ensuite par la Piazza Grande pour vous rendre au Duomo.

Partez pour **Pienza** (p. 119) et prenez à droite à la sortie de Montepulciano (suivre le panneau) pour admirer le Tempio di San Biagio. À Pienza, commencez par les retables du Duomo (p. 47) avant d'aller à Piazza Pio II pour visiter le Palazzo Piccolomini. Près du palais, une allée mène à la Via Gozzante, une promenade à l'extérieur de la ville.

Allez ensuite à **Montalcino** (p. 119). En été, essayez d'être sur les remparts de la forteresse pour le coucher du soleil. En hiver, faites une pause au Caffè Fiaschetteria Italiana sur la place principale.

Gauche **Boutique Avignonesi** Centre **Biagiotti Fratelli** Droite **Osteria Sette di Vino, Pienza**

TOP10 Vins, gastronomie et artisanat

1 Pulcino, Montepulciano
On peut goûter les vins, la grappa et les salamis produits par la ferme familiale. Tombe étrusque dans les caves et un puits rempli d'outils médiévaux en fer. ⊗ *Plan F4 • Via Gracciano nel Corso 102 • ouv. 9h-20h.*

2 Avignonesi/Classica, Montepulciano
Magasin chic avec un petit côté médiéval et bar pour déguster les crus d'un des plus grands producteurs toscans. ⊗ *Plan F4 • Via Gracciano nel Corso 91 • ouv. 10h-13h, 15h-19h.*

3 La Bottega del Cacio, Pienza
Épicerie qui vend toutes sortes de *pecorino*, mais aussi du miel, des pâtes, des confitures et de l'huile d'olive. ⊗ *Plan F4 • Corso Rossellino 66 • ouv. 9h30-13h, 15h-19h30.*

4 Biagiotti & Figli, Pienza
Des lampes de chevet aux lustres invraisemblables, ce magasin propose des fontes et des fers forgés de grande qualité. ⊗ *Plan F4 • Corso Rossellino 67 • ouv. 10h-13h, 15h-19h30.*

5 Enoteca La Fortezza, Montalcino
C'est le meilleur choix de vins de la ville et de produits alimentaires. Le cadre est somptueux au cœur des vestiges de la forteresse médiévale. ⊗ *Plan E4 • La Fortezza • ouv. avr.-oct., mar.-dim. 9h-20h ; nov.-mars 9h-18h.*

6 Aliseda, Montepulciano
Bijoux originaux en or, inspirés de pièces de musée anciennes, à des prix attractifs. ⊗ *Plan F4 • Via dell'Opio nel Corso 8 • ouv. 9h30-20h (ferm. dim.-lun. en été).*

7 Maledetti Toscani, Montepulciano
Choix éclectique d'objets toscans artisanaux : cuirs, fers forgés, pots de cuivre. ⊗ *Plan F4 • Via Voltaia nel Corso 40 • ouv. 10h-20h.*

8 Bottega del Rame, Montepulciano
Ustensiles de cuivre façonnés à la main par la famille Mazzetti. ⊗ *Plan F4 • Via dell'Opio nel Corso 64 • ouv. 9h30-19h30.*

9 Souvenir Bernardini, Montalcino
Bric-à-brac d'artisanat local : ustensiles de cuivre, verres… ⊗ *Plan E4 • Piazzale Fortezza 1 • ouv. 10h-20h (18h en hiver).*

10 Legatoria Koiné, Montepulciano
Carnets recouverts de cuir de qualité. ⊗ *Plan F4 • Via Gracciano nel Corso 15 • ouv. 8h30-13h, 15h30-19h.*

La Solita Zuppa

Catégories de prix

Pour un repas complet	**€** moins de 25 €
(entrée, plat, dessert) avec	**€€** de 25 à 35 €
une demi-bouteille de vin	**€€€** de 35 à 55 €
ou une autre boisson,	**€€€€** de 55 à 70 €
taxes et service compris	**€€€€€** plus de 70 €

Gauche **Ristorante del Poggio Antico, près de Montalcino** Droite **Ristorante Zaira, Chiusi**

🔟 Restaurants

1 La Chiusa, Montefollonico
Dans un moulin du XVIIIe s., *La Chiusa* sert une cuisine toscane inventive. ✆ Plan F4
• *Via della Madonnina 88 (près de Montepulciano/ Pienza)* • *0577 669 668*
• *www.ristorantelachiusa.it* • *ferm. mar.*
• *€€€€€.*

2 Ristorante del Poggio Antico, près de Montalcino
Élégant restaurant dans les anciennes écuries d'un grand producteur de brunello qui sert une cuisine toscane créative. Réserver. ✆ Plan E4 • *Loc. 1 Poggi*
• *0577 849 200* • *ferm. dim. soir, lun. (nov.-mars) et 3 semaines en janv.* • *€€€€.*

3 Ristorante Zaira, Chiusi
Le meilleur restaurant d'une ville réputée pour sa gastronomie. Spécialité de *pasta del lucumone,* au jambon et aux trois fromages. ✆ Plan F5 • *Via Arunte 12* • *0578 20 260* • *ferm. lun. (en hiver)* • *€€.*

4 La Solita Zuppa, Chiusi
Restaurant proposant des plats du sud de la Toscane comme les *pici,* le sanglier et l'agneau. ✆ Plan F5 • *Via Porsenna 21* • *0578 21 006* • *ferm. mar., janv.-fév.* • *€€€.*

5 La Fattoria, Lago di Chiusi
Cette ancienne ferme-auberge en bordure du lac de Chiusi propose la pêche du jour. Le *prosciutto* est coupé à la main et les pâtes sont maison. ✆ Plan F4 • *Via Lago di Chiusi (5 km à l'est de Chiusi)* • *0578 21 407* • *€€.*

6 Il Cantuccio, Montepulciano
Prix honnêtes pour une bonne cuisine toscane copieuse. Les *antipasti* sont excellents et le canard très savoureux. ✆ Plan F4 • *Via delle Cantine 1-2* • *0578 757 870* • *ferm. lun.* • *€€.*

7 Trattoria Latte di Luna, Pienza
Cuisine du sud de la Toscane, simple et *al fresco.* Essayez les *pici* à l'ail et à la tomate ou le cochon de lait rôti. ✆ Plan F4
• *Via San Carlo 2-4* • *0578 748 606*
• *ferm. mar.* • *€€.*

8 Osteria Sette di Vino, Pienza
Toute petite *osteria* qui sert des plateaux de *pecorino* et de salamis. La sauce de salade est un secret familial. ✆ Plan F4
• *Piazza di Spagna 1* • *0578 749 092* • *€.*

9 L'Angolo, Montalcino
Trattoria minuscule et populaire au centre-ville. Goûtez les *pinci* à la sauce au sanglier et le veau aux asperges sauvages. ✆ Plan E4 • *Via Ricasoli 9* • *0577 848 017* • *€€.*

10 Fattoria Pulcino, Montepulciano
Cuisine simple et copieuse autour de longues tables de bois. La boutique du vignoble familial propose des vins et des produits de la ferme. ✆ Plan F4 • *Via SS 146 per Chianciano 37 (3 km au sud-ouest de la ville)* • *0578 758 711* • *€€.*

Note: Sauf mention contraire, tous les restaurants acceptent les cartes de paiement et servent des plats végétariens

Gauche **Restaurant en terrasse, Elbe** Centre **Bétail, Monti dell'Uccellina** Droite **Vue des toits, Elbe**

La côte sud et la Maremma

E ntre mer et montagne, cette région encore peu connue s'étire le long de la côte tyrrhénienne et s'étend jusqu'aux confins de la Toscane et du Latium. Les terres basses et plates de la bande côtière deviennent plus vallonnées vers l'intérieur, dominées par des collines où sont perchées d'anciennes cités comme Pitigliano et Sorano. Les vallées de l'Albegna, de la Fiora et de la Lente forment le cœur de l'Étrurie et sont truffées de vestiges de la puissante civilisation étrusque qui avait drainé et irrigué la région. Délaissée par les Romains, celle-ci redevint marécageuse et la malaria décima la population. Il fallut attendre 1828 pour que le grand-duc Léopold II s'y intéressât de nouveau. Aujourd'hui, outre ses belles plages et un parc naturel splendide, c'est partie de la Toscane où l'héritage étrusque est le mieux préservé.

Les sites de la côte sud et de la Maremma

1. Pitigliano
2. Elba
3. Monti dell'Uccellina
4. Monte Argentario
5. Grosseto
6. Sovana
7. Populonia
8. Sorano
9. Saturnia
10. Isola del Giglio

Plage, Elbe

Le village perché de Pitigliano

Pitigliano

Cet ancien bourg médiéval est spectaculairement perché sur un promontoire de tuf. Il a conservé des vestiges d'un passé prestigieux comme le superbe Palazzo Orsini, un édifice du XIIIe s. agrandi par Giuliano da Sangallo au XVe s. Désormais, c'est un musée doté de quelques belles œuvres. En face, le Museo Civico Archeologico présente des objets étrusques. La synagogue organise une visite de l'ancien ghetto juif (mer., ven. et dim.), abandonné depuis la Seconde Guerre mondiale.

Plan F6 • office de tourisme : piazza Garibaldi 51 • 0564 617 111
• www.lamaremmafabene.it

Elbe

Célèbre depuis l'Antiquité pour ses mines de fer, l'île doit son nom au terme étrusque *ilva* (fer). La capitale, Portoferraio,

Portoferraio, Elbe

terminal des ferries qui arrivent de Piombino, possède un petit musée archéologique et la modeste Palazzina Napoleonica dei Mulini où vécut Napoléon. Porto Azzuro, l'ancienne capitale espagnole, est une jolie station balnéaire qui a réussi à conserver un peu de son charme d'ancien village de pêcheurs. Le village de Capoliveri avec ses ruelles médiévales est perché sur une colline, et Marciana, sur les pentes du mont Capanne, constitue une base idéale pour visiter la partie occidentale de l'île (p. 69). Plan C5 • office de tourisme : portoferraio • 0565 914 671
• www.arcipelago.turismo.toscana.it

Monti dell'Uccellina

En bordure de mer, les Monti dell'Uccellina font partie du parc naturel de la Maremma. Couverts de pinèdes, ils abritent des sangliers, des chevreuils et des oiseaux migrateurs, sans oublier de belles étendues de plages. Les *butteri* sillonnent le parc sur leurs chevaux, gardant des troupeaux de vaches aux longues cornes effilées. Le parc est desservi par des bus au départ d'Albarese. Plan E6
• entrée du parc à Albarese • 0564 407 098 • ouv. 7h-crépuscule (oct.-14 juin, 9h-crépuscule)
• www.parco-maremma.it • EP.

Monte Argentario

Lieu de villégiature chic et superbe, la péninsule du Monte Argentario est en fait une île presque ronde reliée au littoral par plusieurs langues de sable et par une digue (p. 69). Plan E6 • office de tourisme : corso Umberto 55 • 0564 814 208
• www.lamaremmafabene.it

Gauche **Rue animée, Grosseto** Droite **Tombe de Populonia**

Grosseto

L'atout majeur de Grosseto est le Museo Civico Archeologico e d'Arte Sacra della Maremma où sont conservés les objets étrusques mis au jour dans la région. Le musée expose aussi de belles peintures tels un *Jugement dernier* de l'atelier de Guido da Siena (XIIIe s.) et la *Madone des cerises* de Sassetta. L'église San Francesco (XIIIe s.) conserve des restes de fresques et un crucifix (1289) de Duccio au-dessus du maître-autel.
Plan E5 • office de tourisme : via Monterosa 206 • 0564 462 611
• www.lamaremmafabene.it

Sovana

Ce hameau médiéval fut un centre étrusque puis romain. C'est aussi le village natal du pape Grégoire VII Aldobrandeschi (Hildebrand, vers 1020-1085). Sur la place principale se dressent le Palazzo Pretorio (XIIIe-XIVe s.) et l'église Santa Maria qui conserve un *ciborium* du IXe s. et des fresques

Place médiévale de Sovana

Les « vie cave »

Nul ne connaît l'origine de ces « routes souterraines » étrusques, étroits tunnels creusés jusqu'à vingt mètres de profondeur. Peut-être avaient-ils un but défensif ou religieux (ils conduisent parfois à des tombes), ou bien s'agissait-il de voies de communication – certains relient d'anciennes cités.

préromanes. À la sortie du village, le Duomo possède un portail sculpté à l'époque païenne. Les collines alentour sont truffées de *vie cave (encadré)* et de tombes étrusques dont la Tomba Ildebranda. Plan F6.

Populonia

Dans le golfe de Baratti, le plus grand centre sidérurgique de l'Antiquité contrôlait les mines de fer de l'île d'Elbe. La nécropole étrusque de San Cerbone comprend des tombes à édicules. Le Museo Gasparri présente quelques objets retrouvés dans les fouilles. Plan C5
• Baratti • 0565 29 002
• nécropole : ouv. mars-mai et oct. : mar.-dim. 10h-19h30 ; juin et sept. : mar.-dim. 10h-19h ; juil.-août : t.l.j. 10h-19h ; nov.-fév. : sam.-dim. 10h-16h
• www.parchival-dicornia.it • EP.

Tombe étrusque, Sovana

8 Sorano

Cette ancienne cité étrusque commande un promontoire rocheux. La forteresse Aldobrandeschi, agrandie par les Orsini en 1552, abrite un musée médiéval et un hôtel *(p. 142)*. La forteresse Massa Leopoldino, du XVIIIe s., est ouverte au public. Ⓢ *Plan F5 • office de tourisme : piazza Busati • 0564 633 099*
• www.comune.sorano.gr.it

9 Saturnia

On vient moins à Saturnia pour la forteresse siennoise du XVe s. que pour prendre les eaux. En effet, les eaux chaudes et riches en minéraux qui jaillissent dans la vallée alimentent un centre thermal – qui pour être très élégant n'en sent pas moins le soufre – un hôtel quatre étoiles et la belle Cascate del Gorello qui descend la colline en une cascade de petits bassins *(p. 68-69)*. Ⓢ *Plan E6.*

10 Isola dal Giglio

Cette petite île se trouve derrière Monte Argentario (ferrys depuis Porto Santo Stefano). Giglio Castello est un hameau médiéval qui domine les docks, Giglio Porto est situé dans un golfe, et Giglio Campese offre une vaste plage. Le vin local, l'ansonico, est très apprécié des habitués de l'île. Ⓢ *Plan D6 • office de tourisme : via Provinciale 9 • 0564 809 400 • www.isoladelgiglio.it*

Une journée dans la Maremma

Le matin

🕐 Commencez par **Pitigliano** *(p. 125)*, le village le plus impressionnant de la Maremma, et visitez le Musée archéologique situé dans le Palazzo Orsini.

Rendez-vous ensuite à **Sorano** pour visiter la Fortezza degli Orsini (visite des caves à 11 h), puis promenez-vous dans le quartier abandonné de la Via delle Rovine, sur la falaise.

À la Fortezza, demandez un plan des tombes et des *vie cave* puis dirigez-vous vers Sovana à la recherche des panneaux indiquant les vestiges étrusques *(tomba, ippogeo, via cava)*. Allez ensuite déjeuner à **Sovana**.

L'après-midi

Visitez l'église Santa Maria puis le Duomo roman qui possède un portail orné de sculptures païennes et de beaux chapiteaux historiés.

Prenez la route sinueuse vers l'ouest par San Martino sul Fiora (sites étrusques en bord de route), puis dirigez-vous vers **Saturnia**, au sud. Rendez-vous directement aux Cascate del Gorello, les sources chaudes en plein air au sud de la ville.

Continuez jusqu'à Manciano, puis prenez l'A12 qui longe la côte en direction de Tarquinia et Cerveteri (superbes tombes étrusques) vers les **Monti dell'Uccellina** *(p. 125)* et ses belles plages, ou vers Piombino pour prendre un ferry pour l'**Isola d'Elba** *(p. 125)*.

Gauche **Magasin de sports nautiques** Centre **Plage, Elbe** Droite **La Barca, Elbe**

⟨₁₀⟩ Loisirs

1 Parco Naturale della Maremma et pistes des Monti dell'Uccellina

« Strada degli Olivi » mène à la plage. Le sentier 1 (7,2 km) grimpe aux ruines de l'abbaye San Rabano. Le sentier 2 (6 km) va jusqu'à la côte. Le sentier 3 (9,6 km) serpente autour de grottes préhistoriques. Le sentier 4 (12 km) donne une bonne vue d'ensemble. ⊗ Plan E5 • EP.

2 Tombes étrusques autour de Sovana

Procurez-vous un plan à la forteresse de Sorano pour explorer les tombes et les *vie cave* alentour. ⊗ Plan F6.

3 Sources chaudes de Saturnia

Pour les meilleurs sources et bains *(p. 68-69)*. ⊗ Plan E6.

4 Plages d'Elbe

De Portoferraio, des bateaux accèdent aux plages isolées au nord-est de l'île. À l'ouest, les hauts fonds pour la plongée, et Fetovaia, au sud, pour les petites plages de sable.
⊗ Plan C5.

5 Plongée à Elbe

Leçons pour tous niveaux, location de matériel et plongées de jour ou de nuit. ⊗ Plan C5 • *Elba diving centre, Viale Aldo Moro Marciana Marina* • *0565 904 256*
• *www.elbadiving.it*

6 Voile et planche à voile à Elbe

Cours, location de planches, de Zodiac ou de catamarans.
⊗ Plan C5 • Aloha • Spiaggia di Narengo, Capoliveri • www.elbadiving.it
• 0565 968 764
• www.centroveliconaregno.it

7 Randonnées équestres sur la côte

Randonnées au départ d'une lagune d'Ortobello (de nuit de juin à septembre). ⊗ Plan E6
• Il Barbazzale di Amalfitano, Via Aurelia 146, Orbetello Scalo • 0564 864 208.

8 Randonnées pédestres à Elbe

L'office de tourisme en propose douze, de 90 min à une journée. Superbe montée du Monte Capenne par le Sanctuario di San Cerbone. ⊗ Plan C5.

Sentier pédestre balisé

9 Plongée autour du Monte Argentario

Leçons, location de matériel, plongées autour d'Argentario et de Giglio et Giannutri.
⊗ Plan E6 • centre de plongée Pelagos, Lungomare A. Doria 11-13, Porto Ercole • 0564 834 200 ou 0347 033 4350
• www.pelagosdc.com

10 La côte étrusque

Située au sud de Livourne, elle comprend les stations balnéaires de Marina di Albarese et de San Vincenzo aux belles plages de sable. ⊗ Plan C3.

Catégories de prix

Pour un repas complet **€** moins de 25€
(entrée, plat, dessert) avec **€€** de 25 à 35 €
une demi-bouteille de vin **€€€** de 35 à 55 €
ou une autre boisson, **€€€€** de 55 à 70 €
taxes et service compris. **€€€€€** plus de 70 €

Gauche **Repas al fresco** Droite **La Cannochia**

Restaurants

1 Ristorante Gli Attortellate, Grosseto

Il est impératif de réserver dans cet *agroturismo* étoilé. ◈ *Plan E5*
• *Strada Provinciale della Trappola 39*
• *0564 400 059*
• *ouv. le soir en été, déj. en hiver • €€.*

2 Da Caino, Montemerano

Restaurant rustique et élégant de la Maremma. Cuisine de très grande qualité inspirée de spécialités régionales. Le pain et les pâtes sont faits maison. Très belle carte des vins.
◈ *Plan E6 • Via Chiesa 4 • 0564 602 817*
• *ferm. mer. • €€€€€.*

3 Emanuele, Elbe

Cette cabane en bord de mer sert d'excellents fruits de mer, des légumes bien frais et de savoureux desserts. La minuscule cour à l'arrière conduit à la plage. ◈ *Plan C5 • Loc. Enfola, près de Portoferraio • 0565 939 003*
• *€€€.*

4 Il Tufo Allegro, Pitigliano

Restaurant jeune et inventif où Domenico apporte une touche personnelle aux spécialités locales, et Valeria conseille les vins. ◈ *Plan F6 • Vicolo della Constituzione 5 • 0564 616 192*
• *ferm. mar., mer. déj. • €€.*

5 Osteria dei Noce, Elbe

La salle à manger possède une terrasse ombragée avec vue sur la mer. Spécialités ligures.
◈ *Plan C5 • Via della Madonna 14, Marciana • 0565 901 284 • €€€.*

6 Osteria dei Buco, Castiglione della Pescaia

Petite *osteria* dans un village de pêcheurs très visité. Excellentes spécialités de la Maremma mêlant viandes et poissons. Propriétaire fort sympathique.
◈ *Plan D5 • Via del Recinto 11 • 0564 934 460 • ferm. lun. • €€.*

7 La Barca, Elbe

Le meilleur restaurant de Portoferraio, dans une rue près du port, avec un paravent de plantes pour capter la brise. Cuisine typiquement locale comme les *spaghetti alla bottarga* (avec des oeufs de thon séchés). ◈ *Plan C5 • Via Guerrazzi 60-62, Portoferraio • 0565 918 036*
• *ferm. dim. en hiver • €€.*

8 Ristorante dei Merli, Sovana

Un restaurant familial, derrière la place principale, et une cuisine savoureuse de la Maremma.
◈ *Plan F6 • Via R. Siviero 1-3*
• *0564 616 531 • €€.*

9 La Canocchia, Elbe

Près de la mer, ce restaurant tout simple est spécialisé dans les fruits de mer. ◈ *Plan C5*
• *Via Palestro 2/4, Rio Marina*
• *0565 962 432 • €€.*

10 La Taverna Etrusca, Sovana

Très bonne cuisine toscane dans une salle ornée de poutres et d'arcades de pierre datant du XIIIᵉ s. ◈ *Plan F6 • Piazza del Pretorio 16 • 0564 616 183 • €€.*

Visiter la Toscane – La côte sud et la Maremma

 Pages suivantes **Boulangerie, Lucca**

FORNO A VA

AMEDEO GIU

FOCACO

MODE D'EMPLOI

FLORENCE ET LA TOSCANE TOP 10

Gauche **Office de tourisme** Centre gauche **Visiteurs** Centre droit **Accès Internet** Droite **Policiers**

10 Informations pratiques

1 Information touristique

L'ENIT (Ente Nazionale Italiano per il Turismo), l'office national italien de tourisme, vous fournira les informations générales nécessaires pour préparer votre voyage. Pour des informations plus détaillées, adressez-vous aux offices de tourisme de chaque région.

2 Offices de tourisme en Toscane

Les bureaux d'*informazioni turistiche* (appelés APT ou Pro Loco) fournissent des plans gratuits, les horaires des sites et la liste des hôtels. Les informations sont très variables en fonction des lieux.

3 Formalités

Les citoyens de l'Union européenne et de la Suisse n'ont besoin que d'une carte d'identité pour entrer en Italie. Pour les citoyens canadiens, un passeport en cours de validité suffit pour un séjour de moins de trois mois. Tous les touristes doivent être enregistrés auprès des autorités dans les trois jours suivant leur arrivée. La plupart des hôtels prennent en charge cette formalité.

4 Douanes

Les voyageurs en provenance de l'Union européenne n'ont plus de déclaration à faire à la douane. Des contrôles ponctuels peuvent être effectués dans le cadre de la lutte contre la drogue.

5 Horaires

La plupart des magasins et services ouvrent entre 8 h et 9 h et ferment pour le *riposo* de 12 h 30-13 h à 15 h-16 h (comme les églises et les musées). Le soir, la fermeture se fait entre 18 h et 20 h. Dans les grandes villes, l'*orario continuato* (journée continue) s'est imposé.

6 Électricité

L'électricité est en 220 volts avec une fréquence de 50 Hz. Pour les touristes canadiens, un adaptateur est indispensable.

7 Télévision et journaux

La plupart des grands hôtels reçoivent les chaînes de télévision par satellite. Dans les grandes villes, les quotidiens et magazines français sont disponibles dans les kiosques, comme l'ensemble de la presse mondiale.

8 Quand partir

Le climat toscan est doux. En août, toutefois, la chaleur peut être accablante, et il neige souvent en janvier. Si le printemps est très agréable, l'automne est la saison idéale avec les vendanges (septembre), la récolte des olives (octobre), mais aussi le gibier (sanglier).

9 Haute saison et jours fériés

En Toscane, la haute saison se situe entre Pâques et octobre. Les stations balnéaires sont prises d'assaut en juillet-août, et les villes sont quasi désertes la dernière quinzaine d'août. Traditionnellement, les périodes les plus chargées sont fin avril-fin mai et mi-septembre/mi-octobre. Les jours fériés sont les 1er et 6 janvier, le dimanche et le lundi de Pâques, les 25 avril, 1er mai, 2 juin, 15 août, 1er novembre et les 8, 25 et 26 décembre.

10 Vêtements

Les Italiens font preuve d'un grand souci d'élégance. Mieux vaut donc emporter une tenue habillée. Peu de restaurants exigent veste et cravate. Les églises interdisent les jambes et les épaules dénudées. Évitez les shorts et les jupes courtes.

Offices de tourisme

ENIT
23, rue de la Paix, 75002 Paris
• 01 42 66 66 68
• *www.enit.it*

• *www.turismo. intoscana.it*

Gauche **Aéroport Galileo Galilei, Pise** Centre **Train, Pise** Droite **Ferry, Livourne**

Arriver en Toscane

1 En avion de France
Air France effectue plusieurs vols quotidiens directs vers Florence et Pise au départ de Roissy-Charles-de-Gaulle. Alitalia dessert Florence et Pise en vols directs plusieurs fois par jour. EasyJet et Bravofly assurent des vols low cost Paris-Pise, et Bravofly propose aussi un vol de Lyon à Pise.

2 En avion de Belgique
Depuis Bruxelles, Brussels Airlines propose chaque jour un vol direct pour Florence. Alitalia dessert Pise et Florence en passant par Rome. EasyJet relie Milan et Bravofly dessert Pise.

3 En avion de Suisse
Swiss Air Lines dessert Florence ou Rome via Zurich, Alitalia relie Pise et à Florence depuis Genève et Zurich, mais toujours via Rome. Easyjet relie Genève à Rome.

4 En avion du Canada
Il n'y a pas de vols directs, mais Alitalia et Air Canada desservent Rome et Milan, d'où vous pourrez rejoindre Florence ou Pise.

5 Réductions Internet
Beaucoup de compagnies proposent des réductions sur leurs sites, soldes de dernière minute et tarifs spéciaux Internet.

6 Aéroport de Pise
Galileo Galilei est le plus grand aéroport international de Toscane. Des trains et des bus relient la gare à la ville de Pise en 5 min ; des services de navette par train ou car desservent Florence en environ 1 h.

7 Aéroport de Florence
Le petit aéroport Amerigo Vespucci-Peretola est desservi par le Volainbus, une navette qui assure la liaison avec la gare principale de Florence toutes les 30 minutes. Les billets sont vendus dans l'autocar.

8 En train
Florence est facilement accessible depuis la France, la Belgique ou la Suisse. De Paris, des trains desservent directement Florence, Pise et Milan. Les lignes internationales s'arrêtent à Florence, gare de Firenze Santa Maria Novella. De France, certains trains longent la côte et s'arrêtent à Pise. En Toscane, on trouve des trains très rapides nécessitant un supplément (EC/IC/EN), rapides (IR) ou plus lents (*diretto* et *espresso*).

9 Gare Santa Maria Novella, Florence
Face à la voie *(binario)* 5 se trouvent l'office de tourisme et un service de réservation d'hôtels. Les informations sur les trains sont face à la voie 5, la consigne à côté de la voie 16. Empruntez le souterrain (au bout de la voie 16) qui mène directement au centre-ville.

10 En voiture
L'autoroute A1 relie Milan et le nord du pays à Rome en passant par Bologne et Florence. L'A12 dessert la côte ouest à partir de Gênes (Genova), où elle rejoint l'A10 venant du sud de la France, et passe par Pise, Grosseto, la Maremma, jusqu'à Rome.

Arriver en Toscane

Compagnies aériennes
www.airfrance.fr
www.alitalia.it
www.bravofly.fr
www.brussels
　airlines.com
www.easyjet.com
www.swiss.com

Agences sur Internet
www.anyway.com
www.lastminute.com
www.expedia.com
www.travelocity.com

Aéroport de Pise
À 3 km S de Pise
• 050 849 300/849 111
• www.pisa-airport.com

Aéroport de Florence
À 5 km NE de Florence
• 055 306 1300
• www.aeroporto.
firenze.it

Gauche **Autocar** Centre gauche **Location de voitures** Centre droit **Péage** Droite **Taxi**

10 Se déplacer

1 En train
Les trains sont rapides et fiables mais ne desservent pas toute la Toscane. Les gares affichent les horaires locaux et les horaires nationaux se trouvent dans les kiosques à journaux. Les billets peuvent s'obtenir aux distributeurs automatiques. Ne pas oublier de composter (bornes jaunes) avant de monter dans le train (amende 50 €).

2 En autocar
Moins rapides et cependant aussi chers que les trains, les cars permettent de rejoindre les villes non desservies par ces derniers.

3 Location de voitures
C'est la meilleure façon de visiter la campagne toscane. Les agences locales sont rarement moins chères que les agences internationales, et il est toujours plus avantageux de réserver avant de partir.

4 Cartes routières et panneaux indicateurs
Les meilleures cartes sont celles du Touring Club Italiano, mais on les trouve rarement hors d'Italie. Les cartes Michelin signalent les sites touristiques, notamment les routes intéressantes (en vert). Les panneaux indicateurs (bleus pour les nationales, verts pour les autoroutes) signalent les directions mais pas toujours les numéros des routes.

5 Code de la route
Les limitations de vitesse sont de 30 à 50 km/h en ville, 80 à 110 km/h sur les routes à deux voies et 130km/h sur autoroute. Les files de gauche sont réservées aux dépassements, mais les Italiens n'hésitent pas à se faufiler, voire à rouler sur la bande d'arrêt d'urgence pour éviter les embouteillages.

6 Péage et carburants
Seules l'A 1 et l'A 13 entre Florence et Pise ont des péages. La plupart des stations-service sont fermées le dimanche mais ont souvent des distributeurs automatiques, qui acceptent les billets (et les cartes de paiement) et fonctionnent 24 h/24.

7 Stationnement
Peu d'hôtels possèdent un parc de stationnement, mais beaucoup ont des accords avec des garages voisins. Les places de stationnement sont signalées par des lignes blanches (gratuit mais souvent seulement pour les résidents) ou bleues (payant à l'heure, et il faut alors acheter un ticket à l'horodateur et le poser sur le tableau de bord). On peut aussi acheter dans un *tabacchi* (indiqués par un « T » blanc sur fond marron) une carte à gratter. Les lignes jaunes marquent l'interdiction de stationner.

8 Bus
Les tickets s'achètent dans les bureaux de tabac *(tabacchi)*, les bars et les kiosques à journaux. Ils doivent être compostés à bord, et ils permettent de circuler pendant un certain laps de temps.

9 Taxis
Il y a des stations de taxis aux aéroports et dans les gares. Les hôtels et restaurants vous en appelleront un. Supplément pour les bagages, après 20 h, le dimanche et pour sortir du centre-ville. Pourboire 10 %.

10 À pied
Il ne faut pas plus de 30 min pour traverser les centres historiques. Comme de nombreuses rues sont peu pavées, prévoyez des chaussures confortables.

Trains et routes

Trains
www.trenitalia.com
• 892 021.

Location de voitures
www.avis.com
www.hertz.com

Gauche **Panneaux indicateurs** Centre **Visite guidée** Droite **Le Chianti à vélo**

🔟 Voyages à thème

1 Forfaits
Compagnies aériennes et voyagistes proposent des réductions sur les forfaits voyage-hôtel, mais la plupart passent par des chaînes internationales dont les hôtels ne sont pas en centre-ville. On peut trouver des tarifs plus avantageux dans les hôtels des centres-villes.

2 Voyages organisés
Les voyages organisés facilitent le transport, évitent les problèmes de langue mais n'offrent pas beaucoup de liberté.

3 Séjours d'études
La Toscane offre de nombreuses possibilités. Pour un avant-goût, consultez le site Internet de l'Institut culturel italien à Paris et ceux qui figurent dans l'encadré ci-contre.

4 La Toscane à vélo
Les routes de Toscane conviennent aux cyclistes les plus avertis et aux dilettantes qui veulent découvrir ses paysages à leur propre rythme. Best Tuscan Tours et Florence by Bike proposent des randonnées, encadrées ou non, et I Bike Italy organise des circuits d'une journée autour de Florence.

5 Cours de cuisine
Il est possible d'apprendre à faire la *ribollita*, les pâtes ou la savoureuse *bistecca* avec de grands chefs toscans. Les meilleurs cours de la région du Chianti sont donnés par la célèbre Lorenza de' Medici à Badia a Coltibuono et par le très médiatique Giuliano Bugialli.

6 Randonnées équestres
Une façon romantique de visiter la Toscane en toute sérénité. Pour les randonnées dans la Maremma, le nord ou le Chianti, adressez-vous à Equitour ou à Il Paretaio.

7 Cours d'italien
Pour découvrir la langue italienne, rien ne vaut un séjour qui vous ouvrira également les portes d'un riche patrimoine. Les meilleures écoles sont à Florence. À Sienne, où certains disent qu'est parlé l'italien le plus pur, adressez-vous au Centro Internazionale Dante Alighieri. Les offices de tourisme peuvent vous aider à trouver des adresses dans les autres villes.

8 Cours d'art
Pour l'inspiration comme pour les chefs-d'œuvre à étudier, la Toscane est la région idéale pour les amateurs. Vous trouverez notamment à Florence un grand nombre d'écoles et d'organismes spécialisés.

9 Visites guidées
Musées et églises proposent souvent des visites guidées, payantes ou non. De nombreuses villes permettent de découvrir les sites avec des audioguides. Adressez-vous aux offices de tourisme.

10 Guides privés
Les offices de tourisme fournissent une liste de guides privés qualifiés. À titre indicatif, les tarifs vont de 9 à 12 € l'heure.

Études et loisirs

Séjours d'études
www.iicparigi.esteri.it
www.asils.it
www.dantealighieri.com

Randonnées à vélo
www.besttuscantours. com, www.florence bybike.com, www. ibikeitaly.com

Écoles de cuisine
Lorenza de' Medici
• *0577 749 498,*
www.coltibuono.com
Giuliano Bugialli
www.bugialli.com

Randonnées équestres
Equitour • *800/545 0019, www.ridingtours. Il Paretaio*
• *055 8050 9218,*
www.ilparetaio.it

Cours d'art
• *www.accademia italiana.com*
• *www.accademia europeafirenze.it*

Gauche **Vitrine** Centre gauche **Boutique de styliste** Centre droit **Assiette** Droite **Cuirs**

No 10 Comment acheter

1 Horaires
Les magasins sont ouverts en général de 8 h à 20 h avec une longue pause déjeuner *(p. 132)*.

2 Marchandage
Très rare dans les boutiques, moins inattendu sur les marchés où de nombreux commerçants, originaires du Moyen-Orient, sont rompus à cette technique. Sachez que le commerçant n'est jamais perdant. Le rituel est simple : moins vous êtes intéressé, plus le vendeur joue l'offensé et plus le prix baisse.

3 TVA
La TVA *(IVA)* est comprise dans tous les prix. Elle peut être remboursée à partir de 150 € d'achats dans une boutique, si vous n'êtes pas citoyen de l'Union européenne. Procurez-vous auprès du commerçant le formulaire *ad hoc* que vous présenterez, avec la facture, aux services douaniers quand vous quitterez l'UE.
Le remboursement fait par courrier est assez long. Les boutiques indiquant « Tax Free Shopping for Tourists » accélèrent le processus.

4 Douane
Pour les membres de l'UE, il n'y a pas de limitation de montant pour les achats effectués en Italie. L'exportation des œuvres d'art est sévèrement réglementée. En revanche, les ressortissants n'appartenant pas à l'Union européenne n'ont droit qu'à 200 cigarettes, 100 cigares ou 250 g de tabac ; 1 l de spiritueux ou 2 l de vin ; 50 g de parfum.

5 Cuir
La Toscane, surtout Florence, est renommée mondialement pour son artisanat et son industrie du cuir. Vous trouverez de tout, selon votre budget, des échoppes du marché de San Lorenzo à l'école de cuir de Santa Croce en passant par Ferragamo et Gucci.

6 Mode
C'est en Toscane que sont installées de grandes maisons comme Gucci, Pucci et Ferragamo. À Florence, aux côtés de Gucci et de Prada *(p. 96 et 104)*, on trouve des boutiques moins connues comme Madova (gants) ou Sonia Fortuna (vêtements). La haute couture n'y est généralement pas moins chère, mais certains modèles sont particuliers à l'Italie.

7 Céramiques
L'Italie est réputée pour ses céramiques, et la tradition florentine est l'une des plus appréciées du pays. Vous trouverez de tout, de la porcelaine Ginori aux motifs très raffinés de Rampini

(p. 96), en passant par les motifs plus traditionnels de Montepulciano et les terres cuites d'Impruneta.

8 Design
Les Italiens sont les maîtres du design, qui caractérise les Ferrari aussi bien que les théières Alessi. Si Ferrari n'est pas à votre portée, n'hésitez pas à jeter un coup d'œil dans les nombreuses boutiques qui proposent une large gamme d'objets élégants et originaux, pour la plupart créés par de grands designers.

9 Papier marbré artisanal
Les Florentins sont passés maîtres dans l'art du papier marbré dont les motifs colorés sont élaborés selon la technique artisanale du « papier cuve ». (Les encres à base d'huile flottent à la surface d'une cuve d'eau dans laquelle est plongé le papier.) Dans certains ateliers, carnets, cahiers, agendas sont réalisés sur place, parfois reliés en cuir.

10 Vin
Le vin toscan est un bon souvenir à rapporter, bien qu'il soit encombrant. Comme l'expédition est assez chère, profitez surtout des vins de petits producteurs qui n'exportent pas.

Autres boutiques régionales p. **81, 90, 96, 104, 110, 116 et 122**

Mode d'emploi

Gauche **Jouets sur un marché** Centre **Crus millésimés** Droite **Camping-cars**

🔟 La Toscane bon marché

1 Visites gratuites
Les églises sont gratuites sauf la collégiale de San Gimignano, le Duomo de Pise et Santa Maria Novella à Florence. Les chapelles intéressantes sont souvent payantes. Les ruelles et les places sont des théâtres quotidiens où, pour le prix (élevé) d'un cappuccino, vous serez attablé au premier rang. Sans oublier le spectacle qu'offrent les collines toscanes.

2 Visites à prix réduit
Sites et musées sont dirigés par différents organismes d'où des réductions variables. L'entrée peut être gratuite ou réduite pour les moins de 6, 12, 14 ou 18 ans, pour les étudiants et les plus de 60 ou 65 ans. Tous les musées nationaux sont gratuits pour les moins de 18 ans et les plus de 60 ans. Plusieurs villes proposent des billets combinés.

3 Train
Les moins de 26 ans ont 30 % de réduction avec la *Carta Verde* (payante). Même chose pour les plus de 60 ans avec la *Carta Argento*.

4 Voiture en leasing
Pour plus de trois semaines, un leasing (location de voiture avec option d'achat) à court terme est souvent moins cher qu'une location. De plus, l'assurance couvre tous les sinistres sans franchise.

5 Économiser sur l'hébergement
Plus l'hôtel est central, plus il a d'étoiles, et plus il est cher. Il est préférable de se contenter d'un hôtel une ou deux étoiles (moins d'équipements), que de trop s'éloigner du centre ou de loger près des gares où les hôtels bon marché abondent. Évitez, si possible, le petit déjeuner et n'utilisez pas le minibar ni le téléphone, ces options risquent d'être hors de prix.

6 Manger bon marché
Le prix et la catégorie d'un restaurant n'ont que très peu à voir avec la qualité. *Osterie* et *trattorie* sont moins chères et on y mange parfois aussi bien. Les entrées sont souvent aussi chères que les plats mais moins copieuses. Le vin en carafe est moins onéreux qu'en bouteille et l'eau du robinet *(acqua dal rubinetto)* est en principe gratuite. Bars et *tavole calde* sont ce qu'il y a de plus avantageux.

7 Pique-nique
Pensez avant tout aux petits marchands de fruits et légumes *(fruttivendolo)* et aux marchands de vins *(enoteca* ou *fiaschetteria)*, aux épiceries *(alimentari)*, boulangeries et pâtisseries *(panetteria* ou *pasticceria)*.

8 Payez en espèces
Cela permet souvent d'avoir une réduction dans de petits hôtels et magasins (déduction des frais de carte bancaire). Assurez-vous néanmoins d'avoir une facture ou un reçu, car la loi exige que vous les conserviez dans un périmètre de 400 m.

9 Visitez hors saison
Le printemps et l'automne sont les périodes les plus demandées, donc hôtels et compagnies aériennes ajustent leurs prix en conséquence. En basse saison, de mi-octobre à Pâques, les prix baissent. Cependant, les stations thermales et balnéaires sont souvent fermées en hiver, tout comme certains hôtels.

10 Achetez malin
Les articles de mode italiens ne sont pas forcément moins chers en Italie, notamment les chaussures. Néanmoins, les petits bottiers toscans font des chaussures sur mesure bon marché. Recherchez les produits artisanaux chez les artisans eux-mêmes. Pour les Suisses et les Canadiens, pensez au remboursement de la TVA *(ci-contre)*.

Gauche **Restaurant Sienne** Centre gauche **Étude du menu !** Centre droit **Couvert** Droite **Serveur**

№10 Au restaurant en Toscane

1 Types de restaurants

Le *ristorante* est un restaurant classique et cher, alors que la trattoria est un établissement familial aux prix modérés. Quant à l'*osteria*, le terme désigne tout établissement qui propose quelques plats, des plateaux de viande et de fromage, et du vin.

2 Les repas italiens

Si le petit déjeuner est frugal, un *espresso* ou un cappuccino avec un croissant, le repas est sacré, notamment le dîner. Il comprend plusieurs plats *(ci-dessous)* suivis d'un *espresso* et d'un *digestivo* tel que la grappa.

3 Antipasto

L'entrée est généralement composée de *crostini* (p. 64) et/ou de charcuteries comme le *prosciutto* ou le salami. Les salades sont très populaires telles la *panzanella* (pain rassis trempé dans de l'eau avec des tomates, de l'ail et de l'huile d'olive) et la *caprese* (tomates et mozzarella).

4 Primo

Les pâtes sont en général servies les premières : *pappardelle alla lepre* (lièvre) ou *al cinghiale* (p. 64), *pici* (spaghettis roulés à la main) et gnocchi (boulettes à base de pommes de terre et de blé). Il y a les soupes *(minestre)*, notamment la *ribollita* (p. 64) et la *zuppa di farro* (blé), sans oublier le risotto (riz et légumes de saison).

5 Secondo

C'est le plat de résistance. Les viandes sont simplement grillées ou rôties : *bistecca* ou *manzo* (bœuf), *vitello* (veau), *agnello* (agneau), *pollo* (poulet), *maiale* (porc), *cinghiale* (sanglier), *coniglio* (lapin), *anatra* (canard) et *grigliata mista* (assortiment copieux). Parmi les poissons : *branzino* (bar), *acciughe* (anchois), *baccalà* (morue), *orata* (brême), *rombo* (turbot) et *sogliala* (sole). Ils sont grillés, cuisinés au four ou *all'acqua pazza* (mijoté dans du vin blanc et des tomates).

6 Dolce

Les desserts les plus populaires sont les *cantucci con vino santo* (p. 65), les crèmes au lait *(panna cotta, latte portoghese)*, les gâteaux, comme le tiramisu et la *torta della nonna* (p. 65), et la *macedonia* (salade de fruits frais).

7 Vin

Les repas sont arrosés de vin *(vino)* rouge *(rosso)* ou blanc *(bianco)*. N'hésitez pas à prendre du vin maison *(vino della casa)* en carafe *(litro)* ou en demi-carafe *(mezzo litro)*. Autrement, choisissez parmi les chiantis, brunello, *vino nobile*, vernaccia et autres crus toscans *(p. 62-63)*. Les Italiens accompagnent leur vin d'eau gazeuse *(gassata, frizzante)* ou plate *(non gassata, naturale)*.

8 Couvert et pourboire

Payer le pain et le couvert *(pane e coperto)* est inévitable. Si la carte mentionne *servizio incluso* (ou si le serveur vous le confirme en réponse à « *É incluso il servizio ?* »), le service est compris, mais il est d'usage d'arrondir la somme. Sinon, le pourboire de 10 à 15 %, est à votre discrétion.

9 Au restaurant

Le costume-cravate est rarement obligatoire. La qualité du service est variable. Les serveurs vous laissent tranquilles, sans que le service soit lent.

10 Bars et tavole calde

La plupart des bars servent *espresso* et cappuccino (le matin), des boissons diverses (la journée) et des apéritifs *(aperitivi)* en soirée, accompagnés de paninis, pâtisseries et de glaces *(gelati)*. Une *tavola calda* est un bar-restaurant qui sert des plats tenus au chaud.

Gauche **Façade d'hôtel** Centre **Panneau de la route des vins** Droite **Vue d'un balcon**

🔟 Se loger

1 Hôtels
Les hôtels sont classés de une à cinq étoiles, plutôt en fonction des équipements offerts que du charme. À partir de trois étoiles, les chambres ont une salle de bains, la télévision et le téléphone.

2 Agriturismo (tourisme vert)
Certaines fermes proposent des chambres à tous les prix. C'est un moyen bon marché d'être logé dans un cadre bucolique. Les offices de tourisme, les organismes Agriturist, Terra Nostra et Turismo Verde fournissent des listes.

3 Location de villas
Demandez à voir de nombreuses photos (y compris les vues depuis les fenêtres) et un plan de l'ensemble. Voyez combien d'autres personnes peuvent occuper la villa.

4 Agences de locations
Elles proposent de louer appartements ou villas. Parmi elles, Bellavista et Interhome à Paris. En Italie, Cuendet à Monteriggioni, Your Tuscany à Rome, Solemar à Florence et Casaclub à Sienne.

5 Chambre chez l'habitant
Les offices de tourisme vous donneront une liste de ces hébergements

bon marché. Vous pouvez aussi bien obtenir une chambre charmante avec accès semi-privé qu'une chambre exiguë dans un appartement moderne.

6 Camping et caravaning
Les campings *(campeggi)* ne manquent pas, situés le plus souvent à la périphérie des villes, sur la côte et dans les îles. Une solution pas toujours moins chère qu'un hôtel bon marché.

7 Auberges de jeunesse
On en trouve dans les grandes villes et quelques petites villes. Ce sont en général des dortoirs, séparés selon les sexes et imposant un couvre-feu. La plupart sont situées à la périphérie des villes.

8 Réservations
Les hôtels les plus réputés peuvent être complets des mois à l'avance. Mais, à l'exception de Florence à Pâques et en mai-juin, vous ne devriez pas avoir de problème pour trouver une chambre.

9 Services de réservation
Offices de tourisme et consortiums hôteliers peuvent vous aider à trouver une chambre. Ces derniers sont présents à la gare de Florence, à l'office de tourisme de Pise, Piazza

San Domenico à Sienne et Via San Giovanni à San Gimignano. Les services de réservation Internet ont de très nombreuses adresses.

10 Éléments pouvant affecter les prix
Les chambres sans salle de bains ou sans vue, ou pour des séjours supérieurs à trois jours sont moins chères. Un lit supplémentaire coûte de 30 à 35 % de plus. Petit déjeuner et parking ne sont pas toujours compris.

Séjourner

Agriturist
www.agriturist.it

Terra Nostra
06 48 99 32 09
www.terranostra.it

Turismo Verde
www.turismoverde.it

Bellavista
01 42 55 41 92
www.bellavista-villas.com

Casaclub
0577 440 41
www.casaclub.it

Cuendet
0577 57 63 30
www.cuendet.com

Interhome
01 53 36 60 00
www.interhome.fr

Your Tuscany
06 688 09301
www.yourtuscany.com

Auberges de jeunesse
www.hostels.com
www.french.hostel
world.com

Gauche **Bureau de change** Centre **Espace Internet** Droite **Kiosque à journaux**

10 Banques et communications

1 Devises

Depuis janvier 2002, l'Italie a abandonné la lire pour l'euro (€). On trouve des pièces de 1, 2, 5, 10, 20 et 50 centimes d'euro et de 1 € et 2 €.
Les billets sont de 5 €, 10 €, 20 €, 50 €, 100 €, 200 €, 500 €.

2 Distributeurs de billets

Plus faciles, plus rapides, les distributeurs *(bancomat)* permettent de retirer de l'argent directement de votre compte. Informez votre banque avant votre départ afin de vous assurer de pouvoir retirer autant de liquide que nécessaire.

3 Cartes de paiement

Les cartes les plus acceptées sont Visa, MasterCard et American Express, plus rarement Diner's Club.

4 Chèques de voyage

Les chèques de voyage restent le moyen le plus sûr de transporter de l'argent, mais ils sont parfois d'une utilisation malaisée.

5 Change

Si vous n'appartenez pas à la zone euro, vous obtiendrez les meilleurs taux de change dans les banques (pièce d'identité demandée) et non pas dans les bureaux de change *(cambio)*. Évitez de changer les chèques de voyage dans un hôtel ou une boutique.

6 Téléphones publics

La plupart des téléphones publics n'acceptent que les cartes prépayées *(scheda telephonica)*. Elles s'achètent au prix de 5 € ou 10 € dans les bureaux de tabac *(tabacchi)* et dans les kiosques à journaux. Les cartes prépayées pour l'étranger *(telefonica internazionale)* vous donnent un numéro à appeler et un code pour accéder à l'international.

7 Téléphones portables

Si vous passez plus de deux semaines en Toscane, et que vous utilisez beaucoup votre portable, cela vaut la peine d'acheter une carte SIM locale. Les deux principaux opérateurs, Tim et Vodafone, vendent des téléphones autour de 30 €, avec 5 € de crédit inclus (disponibles dans les *tabacchi* et les kiosques). Vous pouvez aussi utiliser la carte SIM avec votre portable si celui-ci est débloqué.

8 Internet

La plupart des hôtels et des commerces proposent un accès Internet, gratuit ou payant. Vous pouvez également vous rendre dans les espaces Internet Train (25 boutiques en Toscane). Pour ce faire vous devez acheter une carte magnétique utilisable dans tout le réseau. Dans les villes de plus petite taille, vous trouverez peut-être un accès Internet dans une boutique ou un bar.

9 Poste

Si la poste italienne a fait des progrès, elle reste lente. Inutile d'aller à la poste *(ufficio postale)* pour les timbres *(francobolli)*, également en vente dans les kiosques et les bureaux de tabac qui connaissent les tarifs d'affranchissement. Déposez votre courrier dans les boîtes aux lettres (rouges) sous l'inscription *« per tutte le altre destinazioni »* (et non *« per la città »*).

10 Adresses

Trouver une adresse à Florence est une expérience particulière car la ville utilise un système de numérotation complexe. Chaque rue possède deux séries de numéros : les chiffres en rouge indiquent les boutiques, restaurants ou commerces ; les chiffres en bleu ou noir sont utilisés pour les hôtels et les habitations privées. Lorsque l'on écrit à une adresse professionnelle, il faut mettre un « r » après le numéro pour la distinguer d'une adresse résidentielle.

Gauche **Boîtes aux lettres** Centre gauche *Polizia* Centre droit **Cartes postales** Droite **Pharmacie**

🔟 Santé et sécurité

Urgences
Composez le 113 pour les urgences médicales ou appelez la police, une ambulance ou les pompiers *(encadré)*. Pour les pannes de voiture, l'appel est payant.

Sécurité
L'Italie est un pays sûr. Hormis les pickpockets, vous n'avez pas grand-chose à craindre. Les femmes, notamment étrangères, peuvent être importunées, mais cela ne va pas plus loin. De nombreux Italiens conduisent avec agressivité, soyez vigilants.

Pickpockets
Les pickpockets opèrent essentiellement dans la foule et dans les endroits touristiques. Mettez vos objets de valeur à l'abri des regards, fermez bien vos sacs et ne gardez sur vous que l'argent nécessaire pour une journée.

Mendicité
Faites attention aux mendiants et aux quémandeurs, surtout aux enfants souvent bien entraînés et très lestes. Brandissant des pancartes griffonnées, ils opèrent souvent en groupes, se pressant autour de leurs victimes potentielles. Alors que vous essayez de vous dégager ou de chercher quelque monnaie à leur donner, les pickpockets sont déjà à l'œuvre.

Arnaque
L'arnaque n'est pas une légende et concerne particulièrement les visiteurs qui semblent les plus naïfs. Certains chauffeurs de taxi n'hésitent pas à appliquer un tarif incorrect ou à mal rendre la monnaie tout comme certains restaurants osent facturer plus que ce que vous avez consommé, voire augmenter le montant débité sur votre carte de crédit.

Police
Il y a deux forces de police auxquelles vous pouvez avoir recours : la *polizia*, la police nationale, et les *carabinieri*, la gendarmerie. La *questura* est le commissariat de police.

Frais médicaux
Avant de partir, tous les citoyens de l'UE doivent se procurer la carte européenne d'Assurance Maladie qui leur permet d'être pris en charge dans le pays visité. Les autres doivent avoir une assurance personnelle qui couvre l'Italie. Généralement, les frais d'hospitalisation doivent être réglés sur place et sont remboursés au retour.

Hôpitaux
Les hôpitaux *(ospedali)* sont semi-privés. Le terme *pronto soccorso* désigne les urgences. En général, lors d'une consultation non suivie d'une admission, on vous fera un bilan et une ordonnance. À Florence, il existe un organisme de traduction gratuit pour l'assistance médicale *(encadré)*.

Pharmacies
Les pharmacies *(farmacie)* sont très bien équipées et leur personnel tout à fait compétent pour dispenser les premiers soins. La nuit, le dimanche et les jours fériés, toutes affichent une liste avec les pharmacies de garde les plus proches.

Hygiène alimentaire
L'eau est potable partout, sauf indication contraire *(acqua non potabile)*.

Urgences et santé

Service médical de traduction
055 425 0126

Numéros d'urgence
112 (carabinieri)
113 (premiers secours)
115 (pompiers)
116 (assistance routière)
118 (ambulance)

Gauche **Vue de Sienne** Droite **Villa San Michele, Florence**

10 Hôtels historiques

1 Certosa di Maggiano, Sienne

Petit hôtel de luxe, simple et confortable, situé dans un monastère du XIVe s. Les plus belles antiquités se trouvent dans les espaces publics. Petite piscine dans le jardin. ◈ *Via Certosa 82 • plan E4 • 0577 288 180 • www.certosadimaggiano.it • €€€€€.*

2 Loggiato dei Serviti, Florence

Chambres de style Renaissance avec lits à baldaquin dans un bâtiment de 1527 dessiné par Antonio Sangallo l'Ancien. Les meilleures chambres, légèrement bruyantes néanmoins, ouvrent sur une loggia qui donne sur la place. ◈ *Piazza Santissima Annunziata 3 • plan P2 • 055 289 592 • www.loggiatodeiservitihotel.it • €€€€€.*

3 Della Fortezza, Sorano

Cet hôtel de 16 chambres fut créé dans une aile de la forteresse du XIIIe s. de Sorano. Les chambres ont des plafonds de bois, un mobilier du XIXe s. et une vue spectaculaire sur la campagne environnante. La situation en hauteur garantit la fraîcheur, même en été. ◈ *Piazza Cairoli 5 • plan F5 • 0564 632 010 • ferm. janv.-fév. • www.fortezzahotel.it • €€€ • PC.*

4 Morandi alla Crocetta, Florence

Cet ancien couvent du XVIe s. est situé dans le centre historique. Les fresques sont authentiques (XVIIe s.). Il n'y a que dix chambres. ◈ *Via Laura 50 • plan P2 • 055 234 4747 • www.hotelmorandi.it • €€€€€ • Wi-Fi.*

5 Villa Belvedere, Colle di Val d'Elsa

Cette villa servit de résidence aux grands-ducs de Toscane au XIXe s. Les chambres, associant le moderne et l'ancien, donnent sur le parc avec piscine et court de tennis. ◈ *Via Senese Belvedere, Loc. Belvedere • plan E3/4 • 0577 920 966 • www.villabelvedere.com • €€€ • PC.*

6 Villa Pitiana, Florence

Cet ancien couvent, très remanié, accueillit jadis scientifiques et poètes. Situé au cœur d'un parc dans les environs de Florence, il possède une piscine et un restaurant correct. ◈ *Via Provinciale per Tosi 7 • plan E3 • 055 860 259 • www.villapitiana.com • €€€€€ • PC • Wi-Fi.*

7 L'Antico Pozzo, San Gimignano

Transformé au XVe s., ce palais est plus ancien et accueillit Dante et les procès de l'Inquisition. Les chambres sont vastes, meublées et décorées à l'ancienne. Les plus belles sont ornées de fresques du XVIIe s. ◈ *Via San Matteo 87 • plan D3 • 0577 942 014 • www.anticopozzo.com • €€€€ • Wi-Fi.*

8 Royal Victoria, Pise

Le plus ancien hôtel de Pise (1839) a accueilli Ruskin et Roosevelt. Quelques chambres sont situées dans la tour du Xe s., et certaines sur l'Arno peuvent être reliées pour créer des suites. ◈ *Lungarno Pacinotti 12 • plan C3 • 050 940 111 • www.royalvictoria.it • 40 des 48 chambres ont une salle de bains • garage privé • €€€ • Wi-Fi.*

9 Palazzo Ravizza, Sienne

Cet hôtel du XVIIe s. est une affaire familiale. Certaines chambres sont ornées de fresques et celles qui sont à l'arrière donnent sur le jardin. ◈ *Pian de Mantellini 34 • plan E4 • 0577 280 462 • www.palazzoravizza.it • €€€€ • Wi-Fi.*

10 Albergo Pietrasanta, Pietrasanta

Ce palais du XVIIe s. est un hôtel de luxe avec des baignoires creusées dans le marbre local de cette ville minière entre Forte dei Marmi et Viareggio. ◈ *Via Garibaldi 35 • plan C2 • 0584 793 726 • www.albergopietrasanta.com • €€€€€.*

Sauf mention contraire, les chambres possèdent une salle de bains et sont climatisées et les hôtels acceptent les cartes de paiement.

Catégories de prix

Prix par nuit pour une chambre double avec petit déjeuner (s'il est inclus), taxes et service compris.
€ moins de 50 €
€€ de 50 à 100 €
€€€ de 100 à 150 €
€€€€ de 150 à 200 €
€€€€€ plus de 200 €

Gauche **Helvetia e Bristol, Florence** Droite **Maisons en bord de mer, Portoferraio, Elba**

🔟 Hôtels de luxe

1 Westin Excelsior, Florence

Le meilleur hôtel de la ville est le temple du luxe et du raffinement. La gamme des services offerts est impressionnante. Essayez d'avoir une chambre sur l'Arno. ⓢ *Piazza Ognissanti 3 • plan K3 • 055 27 151 • www. westin.com • €€€€€ • Wi-Fi.*

2 Villa San Michele, Fiesole

La façade de ce monastère situé entre Florence et Fiesole serait l'œuvre de Michel-Ange. Le bâtiment original n'abrite que des chambres doubles et des suites somptueuses qui dominent les jardins en terrasses et la piscine. ⓢ *Via Doccia 4 • plan E2 • 055 567 8200 • www. villasanmichele.com • €€€€€ • Wi-Fi.*

3 Helvetia e Bristol, Florence

Cet hôtel est plus élégant que l'Excelsior ou le San Michele, même s'il ne peut rivaliser avec les services de l'un et le cadre de l'autre. Néanmoins, il est idéalement situé au cœur de la ville. ⓢ *Via de Pescioni 2 • plan M3 • 055 26651 • www.royal demeure.com • €€€€€ • Wi-Fi.*

4 Villa Scacciapensieri

Situé sur une colline aux portes de Sienne, l'hôtel occupe une villa du XIXe siècle et domine les remparts de la ville. Il possède trois suites et des chambres spacieuses. Les repas sont servis sur la terrasse. Piscine et courts de tennis. ⓢ *Via Scacciapensieri 10 • plan E4 • 0577 41441 • www.villascacciapensieri.it • €€€€.*

5 Grand Hotel e La Pace, Montecatini

Cette superbe villa située au cœur d'un parc de 2 ha en plein centre-ville est considérée par beaucoup comme le meilleur hôtel de Montecatini. Chambres spacieuses, restaurant orné de fresques, piscine et salle d'exercices. ⓢ *Via della Torretta 1 • plan D2 • 0572 9240 • www.grand hotellapace.it • €€€€€ • Wi-Fi.*

6 Il Pellicano, Monte Argentario

Une oasis luxueuse merveilleusement située sur la côte. Les cottages sont disséminés dans les arbres. Piano bar, centre de remise en forme, tennis, piscine d'eau de mer et ski nautique. ⓢ *Loc. Lo Sparcatello • plan E6 • 0564 858 111 • www.pellicanohotel.com • €€€€€ • Wi-Fi.*

7 Il Chiostro di Pienza, Pienza

Ce couvent du XVe s. est au cœur du centre-ville. Les cellules des moines ont été agrandies, bien aménagées et meublées avec élégance. Belle vue sur les collines ondulées du Val d'Orcia. ⓢ *Corso Rossellino 26 • plan F4 • 0578 748 400 • www. relaisilchiostrodipienza.com • €€€€ • Wi-Fi.*

8 Gallia Palace, Punta Ala

Le meilleur hôtel de la station. L'ensemble est spacieux et les chambres raffinées. Plage privée avec bateaux et canoës, bains et soins, piscine, dîner aux chandelles dans le parc le week-end, accès au golf voisin. ⓢ *Punta Ala • plan D5 • 0564 922 022 • www. galliapalace.it • €€€€€.*

9 Villa Ottone, Elba

C'est l'endroit le plus chic de l'île, surtout si vous avez une chambre dans la villa du XIXe s. Le bâtiment principal offre de nombreuses terrasses et une vue sur la mer. Petite piscine, tennis, sports nautiques. ⓢ *Loc. Ottone • plan C5 • 0565 933 042 • www.villaottone.com • €€€€€.*

10 Locanda L'Elisa, Lucca

Cette villa du XIXe s. située au sud de la ville a été transformée en dix suites somptueuses, donnant sur un jardin avec une piscine. ⓢ *Via Mora per Pisa 1952 • plan C2 • 0583 379 737 • www. locandalelisa.it • €€€€€ • Wi-Fi.*

Gauche **Plaque d'hôtel** Droite **Vue sur Montepulciano**

10 Hôtels confortables

1 Hotel San Michele, Cortona

Ce palais Renaissance du XVe s., en plein centre-ville, possède un certain panache architectural (pierres grises et enduit crème). Objets anciens, poutres apparentes, et un bon nombre de chambres donnant sur la campagne. ✆ *Via Guelfa 15 • plan F4 • 0575 604 348 • www. hotelsanmichele.net • €€€.*

2 Pensione Pendini, Florence

Cette *pensione* a peu changé depuis plus d'un siècle excepté la literie et le mobilier. Les chambres les plus belles donnent sur la Piazza della Repubblica, bordée de cafés. L'accueil des frères Abbolafaio est chaleureux, et ils possèdent deux autres hôtels en ville (près de la gare et près de l'Arno). ✆ *Via Strozzi 2 • plan M3 • 055 211 170 • www. florenceitaly.net • €€€ • Wi-Fi.*

3 La Luna, Lucca

Hôtel familial dans une impasse tranquille de la principale rue commerçante de Lucca. Il y a deux bâtiments et la plupart du mobilier est moderne. Essayez d'avoir une chambre décorée de fresques du XVIIe s., au 1er étage de la partie la plus ancienne. ✆ *Corte Compagni 12 • plan C2 • 0583 493 634 • www.hotellaluna.com • €€€.*

4 Dei Capitani, Montalcino

Cette ancienne caserne servit à l'armée siennoise dans sa lutte finale contre Florence. Les chambres sont rustiques et confortables. Celles donnant sur la rue forment de petits appartements, celles de l'arrière ont une vue plongeante sur la vallée. Piscine sur la terrasse. ✆ *La Lapini 6 • plan E4 • 0577 847 277 • www. deicapitani.it • €€€ • Wi-Fi.*

5 Albergo Scilla, Sovana

Au centre de cette ville minuscule, quinze chambres marient décoration contem-poraine et meubles anciens : dosserets gravés, salles de bains modernes et tables aux plateaux de verre. ✆ *Via del Duomo 5 • plan F6 • 0564 616 531 • www.albergoscilla.com • €€€.*

6 Flora, Prato

Les propriétaires de cette auberge très centrale vivent au dernier étage mais partagent la terrasse sur le toit avec leurs hôtes qui peuvent ainsi dîner en regardant le Castello et le Palazzo Comunale. ✆ *Via Cairoli 31 • plan D/E2 • 0574 33 521 • www.prathotels.it • €€-€€€.*

7 Il Sole, Massa Marittima

Cet hôtel de la vieille ville est confortable et doté d'un mobilier Art nouveau. Les tapis persans du hall apportent une touche d'élégance. ✆ *Corso della Libertà 43 • plan D4/5 • 0566 901 971 • www.ilsolehotel.it • €€.*

8 Albergo Duomo, Montepulciano

Près de la Piazza Grande et de la cathédrale, cet hôtel a un côté rustique avec ses têtes de lit en fonte et ses armoires de bois dans un décor moderne et confortable. Il y a une cour pour un petit déjeuner *al fresco* en été. ✆ *Via S. Donato 14 • plan F4 • 0578 757 473 • www.albergoduomo montelpulciano.it • €€ • PC.*

9 Patria, Pistoia

Les bons hôtels sont rares à Pistoia. Celui-ci est moderne et offre de nombreux services. De plus, il a l'avantage d'être très bien situé, à mi-chemin entre la gare et le Duomo. ✆ *Via F. Crispi 8 • plan D2 • 0573 25 187 • www. patriahotel.com • €€.*

10 Cavaliere Palace, Arezzo

Situé au coeur de la vieille ville, cet hôtel bien équipé propose des chambres confortables. Il possède un restaurant et une terrasse pour le petit déjeuner. ✆ *Via Madonna del Prato 83 • plan F3 • 0575 26 836 • www. cavalierehotels.com • €€€.*

Sauf mention contraire, les chambres possèdent une salle de bains et sont climatisées et les hôtels acceptent les cartes de paiement.

Gauche **Vue de l'île d'Elbe**

🔟 Hôtels de charme bon marché

1 Pensione Maria Luisa de' Medici, Florence

Cette charmante pension familiale propose des chambres spacieuses remplies de meubles et d'objets anciens, ou des années 1950-1960.
◉ Via del Corso 1 • plan N3
• 055 280 048 • €€
• 2 chambres sur 9 avec salle de bains • PC • pas de carte bancaire • pas de téléphone.

2 Piccolo Hotel Puccini, Lucca

Ce joli petit hôtel agréablement meublé propose des chambres plutôt petites et toutes, sauf deux, sur rue. En se penchant, on aperçoit la façade romane de San Michele. ◉ Via di Poggio 9
• plan C2 • 0583 55 421
• www.hotelpuccini.com
• €€.

3 Piccolo Hotel Etruria, Sienne

En plein centre, un établissement dont les chambres impeccables et contemporaines sont agréables. Inconvénient : l'hôtel ferme ses portes à 1 h. Réservez longtemps à l'avance, car il n'y a que 13 chambres.
◉ Via Donzelle 3 • plan E4
• 0577 288 088 • www.hoteletruria.it • €€ • PC.

4 Bellavista, Elbe

Tout ce qu'il faut pour un séjour idéal sur une île. La plupart des chambres avec terrasse ont une vue qui embrasse les vignes et des oliviers et le promontoire boisé de Sant'Andrea. Des sentiers mènent à la plage ou à une crique retirée. Les chambres sont simples, carrelées et confortables.
◉ Loc. Sant'Andrea • plan C5 • 0565 908 015 • www.hotel-bellavista.it • €€€ • PC.

5 Bernini, Sienne

Perché au-dessus du couvent de Sainte-Catherine, cet hôtel minuscule est très recherché. Les chambres sont calmes et blanchies à la chaux.
◉ Via della Sapienza 15
• plan E4 • 0577 289 047
• www.albergobernini.com
• €€ • pas de carte bancaire
• 4 chambres sur 9 avec salle de bains
• C dans 2 chambres.

6 Il Colombaio, Castellina in Chianti

Cette ancienne ferme a conservé son atmosphère campagnarde et offre de très belles vues. Les chambres sont spacieuses et donnent sur des salons agréables. Petite piscine.
◉ Via Chiantigiana 29
• plan E3 • 0577 740 444
• www.albergoilcolombaio.it
• €€ • PC.

7 Il Borghetto, Montepulciano

Autre hôtel familial impeccable, niché derrière la rue principale de la ville. Les chambres sont confortables, certaines avec de belles vues et des meubles anciens. Une partie des remparts médiévaux traverse la propriété.
◉ Borgo Buio 7 • plan F4
• 0578 757 535
• www.ilborghetto.it • €€€.

8 Hotel Abaco, Florence

Hôtel pour les petits budgets, situé entre la cathédrale et la gare, dans un bâtiment du XVIe s. Les chambres n'ont pas toutes une salle de bains.
◉ Via dei Banchi 1
• plan L3 • 055 230 1919
• www.hotelabaco.it • €€
• 8 chambres seulement.

9 Etruria, Volterra

Hôtel situé dans un palais du XVIIIe s. Le confort est rudimentaire, mais l'hôtel bien entretenu et agréable. Du jardin sur le toit, une porte donne sur le parc public.
◉ Via Matteotti 32
• plan D4 • 0588 87 377
• www.albergoetruria.it • €€
• 21 chambres, toutes avec une salle de bains • PC.

10 Italia, Cortona

À quelques pas de la place principale, cet hôtel offre un confort standard. Le mobilier est moderne et quelques chambres ont une vue sur la campagne.
◉ Via Ghibellina 5/7
• plan F4 • 0575 630 254
• www.planhotel.com
• €€€.

Gauche **Villa Vignamaggio** Centre **Panneau Agriturismo** Droite **Verrazzano**

🛏️10 Tourisme vert

1 Villa Vignamaggio, Greve in Chianti

La maison natale de Mona Lisa *(p. 34, 61)* et ses cottages environnants sont le fleuron du tourisme vert *(agriturismo)* de Toscane. Les appartements sont climatisés, avec jacuzzi et coin cuisine, et les chambres peintes de couleurs vives. Courts de tennis et 2 piscines. Minimum 2 nuits.
🔊 *Villa Vignamaggio*
• *plan E3* • *055 854 661*
• *www.vignamaggio.it*
• *€€€€-€€€€€.*

2 Podere Terreno, Radda in Chianti

Accueil chaleureux dans cette petite ferme ancienne composée de 7 jolies chambres rustiques. Contrairement à la plupart des autres gîtes et chambres d'hôtes, le dîner est servi sur une longue table commune.
🔊 *Strada per Volpaia*
• *plan E3* • *0577 738 312*
• *www.podereterreno.it*
• *€€.*

3 Grazia, Orbetello

Villa du XVIIIe s. entourée d'appartements pour 2 à 4 personnes. Possibilités de randonnées équestres, piscine et courts de tennis. Une réserve naturelle est à proximité. Trois nuits minimum.
🔊 *Loc. Provincaccia 110*
• *plan E6* • *0564 881 182*
• *www.agriturismograzia. com* • *€€€* • *PC.*

4 I Bonsi, Reggello

Une large route bordée d'arbres mène à cette magnifique résidence dans la campagne dominant la vallée de l'Arno. Six appartements sont disponibles (minimum 3 nuits). 🔊 *Via I Bonsi, Località Sant'Agata*
• *plan E3* • *055 284 615*
• *www.agriturismoibonsi.it*
• *€€€-€€€€€* • *PC.*

5 Il Cicalino, Massa Marittima

Complexe de bâtiments dans un parc avec 12 chambres doubles et 9 chambres triples. Restaurant, piscine, football, gymnastique et location de VTT. Trois nuits minimum.
🔊 *Loc. Cicalino*
• *plan D4/5* • *0566 902 031*
• *www.ilcicalino.it* • *€-€€€*
• *PC* • *pas de téléphone.*

6 Tenuta Castello il Corno, San Casciano

Dix appartements et 6 chambres dans les dépendances d'une villa entourée d'un vignoble. Minimum 3 nuits.
🔊 *Via Malafrasca 64*
• *plan E3* • *055 824 851*
• *www.tenutailcorno.com*
• *€€* • *ferm. janv.-fév.*
• *PC* • *Wi-Fi.*

7 Fattoria Castello di Pratelli, Incisa

Au cœur d'un domaine produisant du vin et de l'huile d'olive, cette forteresse du haut Moyen Âge propose

8 appartements spacieux, une piscine et la location de VTT. Minimum 2 nuits en basse saison.
🔊 *Via di Pratelli 1A*
• *plan E3* • *055 833 5986*
• *www.castellodipratelli.it*
• *€€-€€€€€* • *ferm. mi-nov. à mi-déc.* • *PC*
• *pas de téléphone.*

8 Fattoria Castello di Verrazzano, Greve in Chianti

Château du XIIe s. et domaine viticole qui propose 2 appartements (à la semaine) et 7 chambres (minimum 3 nuits). Dégustation de vins et bon restaurant.
🔊 *Loc. Greti* • *plan E3*
• *055 854 243*
• *www.verrazzano.com*
• *€€* • *ferm. janv.-fév.*
• *PC* • *pas de téléphone.*

9 Fattoria Maionchi, Lucca

Quatre appartements en duplex pour 4-6 personnes, de style rustique. Jolis jardins.
🔊 *Loc. Tofori* • *plan C2*
• *0583 978 194* • *www. fattoriamaionchi.it* • *€€-€€€*
• *pas de téléphone.*

10 Fattoria di Solaio, Radicondoli

Peu d'équipements mais beaucoup de style dans cette villa Renaissance ; 9 chambres (3 nuits minimum). Disponible d'avril à septembre (une semaine).
🔊 *Loc. Solaio* • *plan D4*
• *0577 791 029* • *www. fattoria solaio.it* • *€€* • *PC*
• *pas de carte bancaire.*

  Sauf mention contraire, les chambres possèdent une salle de bains et sont climatisées et les hôtels acceptent les cartes de paiement.

Villa La Massa, Candeli

🔟 Hôtels de campagne

1 Locanda dell' Amorosa, Sinalunga

Son surnom d'« auberge des amoureux » remonte à son origine, au XIVe s. Un bâtiment rustique et élégant, rehaussé de loggias tout autour de la cour. Les chambres sont fraîches et aérées. 🔍 *Loc. L'Amorosa, Sinalunga • plan F4 • 0577 677 211 • www.amorosa.it • €€€€ • Wi-Fi.*

2 Castello Ripa d'Orcia, San Quirico d'Orcia

Un hôtel de conte de fées, installé dans un château du XIIIe s. et des bâtiments annexes, et situé au cœur des collines d'une réserve naturelle. Idéal pour un repos total, car les vastes chambres et appartements rustiques n'ont ni téléviseur ni téléphone. 🔍 *Loc. Ripa d'Orcia • plan F4 • 0577 897 376 • www.castel loripadorcia.com • €€€€.*

3 Relais San Pietro, Castiglion Fiorentino

Charmante maison de ferme du XVIIe s., située dans un cadre idyllique. Vous logerez dans le bâtiment principal ou dans l'ancienne maison du prêtre. En été, le dîner est servi sur la terrasse. 🔍 *Loc Polvano 3 • plan F4 • ouv. mars-oct. • 0575 650 100 • www. polvano.com • €€€€ • Wi-Fi.*

4 Castello di Gargonza, Monte San Savino

Château médiéval transformé en hôtel. Doté d'un bon restaurant et d'une piscine, il paraît moins isolé que les autres bien qu'il soit pourtant très à l'écart. Possibilité de louer un appartement. 🔍 *Loc. Gargonza • plan F4 • 0575 847 021 • www.gargonza.it • €€€ • Wi-Fi.*

5 Villa Rosa in Boscorotondo, Panzano

Villa isolée au cœur du Chianti. Les chambres sont spacieuses et celles donnant sur la façade ont accès à deux vastes terrasses. Piscine et excellents dîners sur la terrasse en été. 🔍 *Via San Leolino 59 • plan E3 • 055 852 577 • www. resortvillarosa.it • €€€.*

6 Castello di Spaltenna, Gaiole

Dans un château du XIIe s., c'est l'hôtel le plus luxueux du Chianti. Dégustation de vins, piscine. Les chambres d'angle sont les plus belles. 🔍 *Castello di Spaltenna • plan E3 • 0577 749 483 • www.spaltenna.com • €€€€-€€€€€ • Wi-Fi.*

7 Tenuta di Ricavo, Castellina

Hameau médiéval reconstruit après la Seconde Guerre mondiale. Il y a 23 chambres et suites rustiques dispersées dans le village. Feu de cheminée en hiver et piscine en été. 🔍 *Loc. Ricavo 4 • plan E3 • ouv. Pâcques-oct. • 0577 740 221 • www.ricavo.com • €€€€-€€€€€.*

8 Villa La Massa, Candeli

Cette villa Renaissance à 7 km au sud de Florence est devenue un hôtel en 1953. Des courts de tennis, une piscine et un restaurant toscan dominant l'Arno justifient sa réputation. 🔍 *Via della Massa 24 • plan E3 • ferm. 15 nov.-mars.• 055 62611 • www.villalamassa.com • €€€€-€€€€€.*

9 La Principessa, près de Lucca

Cette villa fut autrefois la résidence du duc de Lucca. Les chambres sont grandes et confortables. Piscine et jardin. 🔍 *Loc. Massa Pisana, via Nuova per Pisa 1616 • plan C2 • 0583 370 037 • www. hotelprincipessa.com • €€€€€ • Wi-Fi.*

10 La Fattoria, Chiusi

Cette ferme du milieu du XIXe s., en dehors de Chiusi, domine un petit lac. Elle propose 8 grandes chambres et dispose d'un excellent restaurant. 🔍 *Via Lago di Chiusi • plan F4/5 • 0578 21 407 • www.la-fattoria.it • €€.*

Gauche **Vue sur Fiesole** Droite **Vue sur Florence**

Hôtels avec vue

1 Torre di Bellosguardo, Florence

Certes, le panorama depuis Fiesole est réputé, mais celui depuis la colline de Bellosguardo qui domine l'Arno est encore plus magnifique. De ses jardins, cette retraite médiévale embrasse Florence, et sa tour centrale propose une suite dont la vue dans toutes les directions est incomparable. ❧ *Via Roti Michelozzi 2* • plan E3 • *055 229 8145* • *www. torrebellosguardo.com* • €€€€€ • *C dans 3 suites.*

2 Duomo, Sienne

Le palais est du XIIe s. Les chambres, plutôt petites, sont modernes et permettent d'admirer le Duomo, notamment celle du dernier étage dont les fenêtres, sur trois côtés, offrent des vues superbes. ❧ *Via Stalloreggi 38* • plan E4 • *0577 289 088* • *www.hotelduomo.it* • €€€.

3 Villa Kinzica, Pise

L'hôtel n'a rien d'exceptionnel, mais les chambres sur la façade ou sur la partie gauche offrent une vue imprenable sur la tour penchée. Cependant, toutes les chambres ne sont pas climatisées. ❧ *Piazza Arcivescovado 2* • plan C3 • *050 560 419* • *www.hotel villakinzica.it* • €€-€€€€€.

4 Hôtel Bigallo, Florence

Le Bigallo a longtemps été célèbre pour ses chambres avec vue sur la Piazza del Duomo à des prix abordables. Le seul inconvénient est le bruit, car les rues alentour sont très animées. ❧ *Vicolo degli Adimari 2* • *055 216 086* • *www.hotelbigalloflorence. com* • €€€€.

5 La Cisterna, San Gimignano

Le paysage que l'on découvre depuis cet hôtel est splendide. Les chambres à l'avant donnent sur la place où se dressent les célèbres tours de San Gimignano. Celles de l'arrière donnent sur les collines et les vignobles. ❧ *Piazza della Cisterna* • plan D3 • *0577 940 328* • *www. hotelcisterna.it* • €€-€€€ • *bar et restaurant.*

6 Torre Guelfa, Florence

Si la plupart des chambres de ce palais de 1280 n'ont pas de belle vue, le bar en terrasse jouit d'un panorama incomparable sur Florence. ❧ *Borgo SS. Apostoli 8* • plan M4 • *055 239 6338* • *www. hoteltorreguelfa. com* • €€€€ • *Wi-Fi.*

7 Il Giglio, Montalcino

Seules les 8 chambres à l'arrière offrent les plus belles vues sur la ville avec, d'un côté, les maisons accrochées aux falaises et, de l'autre, une vue plongeante sur la campagne. Hôtel rustique mais élégant. ❧ *Via Soccorso Saloni 5* • plan E4 • *0577 846 577* • *www.gigliohotel.com* • €€-€€€.

8 Montorio, Montepulciano

Petit hôtel confortable au sommet d'une colline. Le jardin donne sur le Tempio di San Bagio et les grandes chambres sur la campagne (3 nuits minimum). ❧ *Strada per Pienza 2* • plan F4 • *0578 717 442* • *www.montorio.com* • *ferm. mi-déc.-fév.* • €€€-€€€€ • *Wi-Fi.*

9 Augustus Lido, Forte dei Marmi

De la splendide villa en bord de mer, on accède, par un tunnel au moderne hôtel Augustus avec piscine, restaurant et club avec musique live. ❧ *Viale Morin 169* • plan C2 • *0584 787 200* • *www.versilia.toscana.it/ augustus* • *ferm. nov.-mars* • €€€€€ • *Wi-Fi.*

10 Gran Duca, Livourne

Cet hôtel correct est situé sur le port. Les chambres, sans originalité, sont bien aménagées. Petit centre de remise en forme. ❧ *Piazza Giuseppe Micheli 16* • plan C3 • *0586 891 024* • *www.granduca.it* • €€€ • *Wi-Fi.*

 Sauf mention contraire, les chambres possèdent une salle de bains et sont climatisées et les hôtels acceptent les cartes de paiement.

Gauche **Montalcino** Droite **Vieille ville de Montepulciano**

Catégories de prix

Prix par nuit pour une	**€**	moins de 50 €
chambre double avec	**€€**	de 50 à 100 €
petit déjeuner (s'il	**€€€**	de 100 à 150 €
est inclus), taxes et	**€€€€**	de 150 à 200 €
service compris.	**€€€€€**	plus de 200 €

📇10 Monastères, auberges de jeunesse

1 Ostello Villa Camerata, Florence

Impossible de trouver moins cher si vous voulez séjourner dans une villa du XVIe s. à 20 min en voiture du centre (bus 17B). Possibilité de camping dans le parc. ◊ *Viale Augusto Righi 2/4 • plan E3 • 055 601 451 • www.ostellionline.org • € • PC • pas de carte bancaire • pas de téléphone.*

2 Ostello Archi Rossi, Florence

Auberge bien située qui accueille les familles et les groupes. Certaines chambres n'ont pas de salle de bains.◊ *Via Faenza 94r • plan M2 • 055 290 804 • www.hotelarchirossi. com • €-€€ • PC • pas de carte bancaire • Wi-Fi • cabines téléphoniques.*

3 Ostello Apuano, Marina di Massa

Cette villa propose des randonnées, une plage et un grand parc en bord de mer. Fermeture à 23 h 30. Pas de chambres familiales en juil.-août. ◊ *Viale delle Pinete, Partaccia 237 • plan C2 • 0585 780 034 • ouv. 16 mars-sept. • ostelloapuano @hotmail.com • € • PC • pas de carte bancaire • pas de téléphone.*

4 Santuario Santa Caterina/Alma Domus, Sienne

Cet hôtel simple et confortable est dirigé par les religieuses de Sainte-Catherine. Belle vue sur la vallée jusqu'au Duomo. Les chambres ont le téléphone (appels entrants seul.) et la climatisation. Télévision et téléphones payants dans les pièces communes. ◊ *Via Camporeggio 37 • plan E4 • 0577 44 177 • www. hotelalmadomus.it • €€ • pas de carte bancaire.*

5 Villa I Cancelli, Florence

Ce palais du XVe s. au-dessus de Florence est à 15 min en voiture du centre. Les 31 chambres sont simples mais avec vue. Fermeture en principe à 23 h. ◊ *Via Incontri 21 • plan E2 • 055 422 6001 • €€ • PC • pas de carte bancaire • pas de téléphone.*

6 Ostello Il Castagno, Castelfiorentino

Ancien couvent converti en auberge avec 80 lits dans des chambres de 2, 4, 6 ou 8 pers. Visites organisées de sites étrusques. Couvre-feu à minuit. ◊ *Via Maffei 57 • plan F4 • 0575 601 765 • www. cortonahostel.com • € • PC • pas de carte bancaire • pas de téléphone.*

7 Ostello del Chianti, Tavernelle Val di Pesa

Ici, les activités tournent autour du vin. Quelques chambres familiales. Des petits déjeuners et des repas tout prêts sont disponibles en payant un supplément. Les bus SITA s'arrêtent tout près. ◊ *Via Roma 13 • plan E3 • 055 805 0265 • www. ostellodelchianti.it • ferm. nov.-14 mars • € • PC • pas de carte bancaire • pas de téléphone.*

8 Ostello San Frediano, Lucca

Hors des remparts (bus 59, 60, 3 ou navetta 2). Dortoirs et chambres familiales, certaines avec salle de bains privée. ◊ *Via della Cavallerizza 12 • plan C2 • 0583 469 957 • www. ostellolucca.it • € • PC • pas de carte bancaire • pas de téléphone.*

9 Monastero di Camaldoli

Suivant la règle bénédictine, tout le monde est accueilli. Les ateliers d'une semaine, de Pâques à mi-septembre requièrent une réservation. ◊ *Loc. Camaldoli • plan F2 • 0577 556 012 • www. camaldoli.it • € • PC • pas de carte bancaire • pas de téléphone.*

10 Monte Oliveto Maggiore

Monastère aux fresques superbes qui loue des chambres, simples ou doubles, avec salle de bains. Vente de miel et de vin. ◊ *Abbazia di Monte Oliveto Maggiore • plan E4 • 0577 707 652 • ouv. Pâques-oct. • www. monteolivetomaggiore.it • € • PC • pas de carte bancaire • pas de téléphone.*

Index

Les numéros de pages en **gras** renvoient aux principales entrées.

Index

Index

Remerciements

L'auteur
Auteur de guides de voyage, Reid Bramblett vit aux États-Unis, non loin de Philadelphie. Il a publié plusieurs guides sur l'Italie, l'Europe et New York chez Frommer's et dans la série des « For Dummies ».

Produit par Blue Island Publishing, Highbury, London.
Directrice éditoriale : Rosalyn Thiro.
Directeur artistique : Stephen Bere.
Éditeurs : Michael Ellis, Charlotte Rundall.
Maquettistes : Tony Foo, Ian Midson
Iconographie : Ellen Root, Amia Allende, Emma Wilson.
Lecteur : Stewart J. Wild
Responsable de l'index : Hilary Bird.
Correcteur Matt Finley.
Autres contributions : Alexandra Lawrence.

Photographe : Linda Whitwam.

Photographies d'appoint :
Philip Enticknap, Kim Gamble, Steve Gorton, John Heseltine, Kim Sayer, Clive Streeter.

Illustration : Richard Draper, Chris Orr & Associates.

Cartographie : Encompass Graphics.

CHEZ DORLING KINDERSLEY :
Direction de la publication : Gillian Allan, Louise Bostock Lang, Kate Poole.
Direction éditoriale : Marcus Hardy.
Direction artistique : Marisa Renzullo.
Cartographie : Casper Morris.
Informatique éditoriale : Jason Little.
Fabrication : Sarah Dodd, Marie Ingledew.

Collaboration éditoriale :
Michelle Crane, Conrad van Dyk, Claire Jones, Jude Ledger, Sam Merrell, Rebecca Milner, Rada Radojicic, Ellie Smith.

Crédits photographiques :
L'éditeur tient à remercier tous les musées, cathédrales, églises, galeries, hôtels, restaurants, magasins, vignobles et autres sites et établissements trop nombreux pour être cités.

Légende des références : h = en haut ; hg = en haut à gauche ; hd = en haut à droite ; c = centre ; bc = en bas au centre ; b = en bas ; bg = en bas à gauche ; bd = en bas à droite ; g = à gauche ; (d) = détail.

AFE, Rome : Roberto del Mazza 102b. AKG, Londres : Rabatti-Domingie (photographe), Palazzo Pitti, Florence, *Marie-Madeleine* de Titien 16bd.

BRIDGEMAN ART LIBRARY, Londres : Baptistère, Florence, *Portes du Paradis* de Lorenzo Ghiberti 12-13 ; Bargello, Florence, *David* de Donatello (vers 1440) 48b, *Mercure* (1589) de Giambologna 51d ; Biblioteca Reale, Turin, *Portrait* de Léonard de Vinci (vraisemblablement un autoportrait, vers 1513) 50c ; Uffizi, Florence, trois œuvres de Sandro Botticelli : *Adoration des Mages* 11h, *La Naissance de Vénus* 8bg(d), 52b, *Le Printemps* (vers 1478) 9h ; *Sainte Famille (Tondo Doni)* de Michel-Ange 6hd, 8bd ; *Vierge à l'Enfant* de Fra Filippo Lippi (vers 1455) 10b ; trois œuvres de Raphaël : *La Vierge au chardonneret* 10hd, *Portrait du pape Léon X entouré des cardinaux Giulio de' Medici et Luigi de' Rossi* (1518)

Remerciements

54b, *Autoportrait* 50hd(d) ; *Vénus d'Urbino* du Titien 9b ; *Laurent le Magnifique* de Giorgio Vasari 54c ; *Annonciation* (1472-1475 ; après restauration) de Léonard de Vinci 8hd(d), 10hg(d) ; Museo Civico, Prato, panneau de *La Légende de la sainte ceinture* de Bernardo Daddi 29b, 93h(d) ; Museo dell'Opera del Duomo, Florence, *Pietà* (1553) de Michel-Ange 13b ; Museo Diocesano, Cortona, *Annonciation* de Fra Angelico 38-39 ; Museo di Firenze Com'era, Florence, *Villa Poggio a Caiano* (1599) de Giusto Utens 60b ; Museo di San Marco dell'Angelico, Florence, *Annonciation* (vers 1438-1445) de Fra Angelico 53hg ; Palazzo Pitti, Florence, photographie de la façade dessinée par Filippo Brunelleschi 14h, 16hd, 48hd, 49bc(d) ; *Vénus* (1810 ; vue latérale) de Antonio Canova 17 ; *La Vierge à la chaise* de Raphaël 16bg ; photographie de la Sala di Marte (salle de Mars, XVIIe siècle) 6bg, 14-15, 16hg ; photographie de la salle de Giovanni di San Giovanni 77h ; Pinacoteca, Sansepolcro, *Résurrection* (vers 1463) de Piero della Francesca 49hg ; San Michele, Carmignano, Prato, *Visitation* de Jacopo Pontormo 51b ; Santa Croce, Florence, *Mort de Saint François* de Giotto di Bondone 50hg(d) ; Villa Demidoff, Pratolino, *L'Appennin* (1580) de Giambologna 60c.

CAFFÈ LATORRE : 104hc, 104bg. LA CANTINETTA DI RAGNANA : 72hg. JOE CORNISH : 39b, 98-99.

HOTEL HELVETIA BRISTOL : 143hg.

LOCARDA DELL' AMOROSA : 105hg.

MARKA, Milan : R. Abbate 66hd, 67 ; G. Andreini 66c ; P. Guerrini 66b ; M. Motta 141hd ; F. Tovoli 66hg.

POGGIO ANTICO : 123hg.

RETROGRAPH ARCHIVE, Londres : 108hd. RISTORANTE LA MORA : 111hg. RISTORANTE OLTRE IL GIARDINO : 97hg.

SAT SOCIETA AEROPORTO TOSCANOSPA / AEROPORT DE PISE : 133hg. SCALA GROUP, Florence : Chapelles Medicis, Florence, *Tomba di Giuliano duca di Nemours* de Michel-Ange 45c ; Camposanto, Pise, *Ippogrifo* 23h ; Uffizi, Florence, *Spinario (Le Tireur d'épine)* 11b ; Museo Archeologico, Grosseto, cratère de Pescia Romana 41h ; Musei Civici, San Gimignano, *Madonna e i SS. Gregorio e Benedetto* du Pinturicchio 18b ; Museo Nazionale di San Matteo, *Polittico* de Simone Martini 24c ; Palazzo Pubblico, Sienne, *Guidoriccio da Fogliano all'assedio di Monte Massi* 30b(d), 32h(d), *Maestà* 33b de Simone Martini ; Tomba del Colle, Chiusi, *Scene con danzatori e suonatori* 40h.

Couverture
Première de couverture : Sushi/Shutterstock.
Quatrième de couverture : DK Images/John Heseltin (bg) ; DK Images/Kim Sayer (bd).

Toutes les autres illustrations : © Dorling Kindersley.
Pour de plus amples informations **www.dkimages.com**

Lexique

En cas d'urgence

Au secours !	**Aiuto !**
Stop !	**Fermate !**
Appelez un médecin.	**Chiama un medico.**
Appelez une ambulance.	**Chiama un'ambulanza.**
Appelez la police.	**Chiama la polizia.**
Appelez les pompiers.	**Chiama i pompieri.**

L'essentiel

Oui/Non	**Si/No**
S'il vous plaît	**Per favore**
Merci	**Grazie**
Excusez-moi	**Mi scusi**
Bonjour	**Buon giorno**
Au revoir	**Arrivederci**
Bonsoir	**Buona sera**
Quoi ?	**Quale ?**
Quand ?	**Quando ?**
Pourquoi ?	**Perchè ?**
Où ?	**Dove ?**

Phrases utiles

Comment allez-vous ?	**Come sta ?**
Très bien, merci.	**Molto bene, grazie.**
Ravi de faire votre connaissance.	**Piacere di conoscerla.**
C'est parfait.	**Va bene.**
Où est/sont… ?	**Dov'è/Dove sono… ?**
Comment aller à… ?	**Come faccio per arrivare a… ?**
Parlez-vous français ?	**Parla francese ?**
Je ne comprends pas.	**Non capisco.**
Je suis désolé.	**Mi dispiace.**

Achats

Combien cela coûte-t-il ?	**Quant'è, per favore ?**
Je voudrais…	**Vorrei…**
Avez-vous… ?	**Avete… ?**
Acceptez-vous les cartes de crédit ?	**Accettate carte di credito ?**
À quelle heure fermez/ouvrez-vous ?	**A che ora apre/chiude ?**
ceci	**questo**
cela	**quello**
cher	**caro**
bon marché	**a buon prezzo**
taille (vêtements)	**la taglia**
taille (chaussures)	**il numero**
blanc	**bianco**
noir	**nero**
rouge	**rosso**
jaune	**giallo**
vert	**verde**
bleu	**blu**

Commerces

la boulangerie	**il forno/il panificio**
la banque	**la banca**
la librairie	**la libreria**
la pâtisserie	**la pasticceria**
la pharmacie	**la farmacia**
la charcuterie	**la salumeria**
le grand magasin	**il grande magazzino**
l'épicerie	**alimentari**
le coiffeur	**il parrucchiere**
le glacier	**la gelateria**
le marché	**il mercato**
le kiosque à journaux	**l'edicola**

la poste	**l'ufficio postale**
le supermarché	**il supermercato**
le bureau de tabac	**il tabaccaio**
l'agence de voyages	**l'agenzia di viaggi**

Tourisme

la pinacothèque	**la pinacoteca**
l'arrêt de bus	**la fermata dell'autobus**
l'église	**la chiesa**
la basilique	**la basilica**
fermé les jours fériés	**chiuso per le ferie**
le jardin	**il giardino**
le musée	**il museo**
la gare	**la stazione**
l'office de tourisme	**l'ufficio di turismo**

À l'hôtel

Avez-vous une chambre libre ?	**Avete camere libere ?**
une chambre double avec un grand lit	**una camera doppia con letto matrimoniale**
une chambre à deux lits	**una camera con due letti**
une chambre pour une personne	**una camera singola**
une chambre avec bains, douche.	**una camera con bagno, con doccia**
J'ai réservé une chambre.	**Ho fatto una prenotazione.**

Au restaurant

Avez-vous une table pour…?	**Avete una tavola per…?**
J'aimerais réserver une table.	**Vorrei riservare una tavola.**
le petit déjeuner	**colazione**
le déjeuner	**pranzo**
le dîner	**cena**
L'addition, s'il vous plaît.	**Il conto, per favore.**
serveuse	**cameriera**
serveur	**cameriere**
le menu	**il menù a prezzo fisso**
le plat du jour	**piatto del giorno**
l'entrée	**l'antipasto**
le premier plat	**il primo**
le plat principal	**il secondo**
les légumes	**i contorni**
le dessert	**il dolce**
le couvert	**il coperto**
la carte des vins	**la lista dei vini**
le verre	**il bicchiere**
la bouteille	**la bottiglia**
le couteau	**il coltello**
la fourchette	**la forchetta**
la cuillère	**il cucchiaio**

Lire le menu

l'acqua minerale gassata/naturale	l'eau minérale gazeuse/plate
l'aceto	le vinaigre
l'agnello	l'agneau
l'aglio	l'ail
al forno	au four
alla griglia	grillé
arrosto	rôti
la birra	la bière
la bistecca	le steak

159

il burro — le beurre
il caffè — le café
la carne — la viande
carne di maiale — le porc
la cipolla — l'oignon
i fagioli — les haricots
il formaggio — le fromage
le fragole — les fraises
il fritto misto — la friture
la frutta — les fruits
frutti di mare — les fruits de mer
i funghi — les champignons
i gamberi — les crevettes
il gelato — la glace
l'insalata — la salade
il latte — le lait
lesso — bouilli
il manzo — le bœuf
la mela — la pomme
l'olio — l'huile
il pane — le pain
le patate — les pommes de terre
le patatine fritte — les frites
il pepe — le poivre
il pesce — le poisson
il pollo — le poulet
il pomodoro — la tomate
il prosciutto cotto /crudo — le jambon cuit/cru
il riso — le riz
il sale — le sel
la salsiccia — la saucisse
succo — le jus
  d'arancia — d'orange
  di limone — de citron
il tè — le thé
la torta — le gâteau, la tarte
l'uovo — l'œuf
vino bianco — le vin blanc
vino rosso — le vin rouge
il vitello — le veau
le vongole — les moules
lo zucchero — le sucre
la zuppa — la soupe

Les nombres

1	uno
2	due
3	tre
4	quattro
5	cinque
6	sei
7	sette
8	otto
9	nove
10	dieci
11	undici
12	dodici
13	tredici
14	quattordici
15	quindici
16	sedici
17	diciassette
18	diciotto
19	diciannove
20	venti
30	trenta
40	quaranta
50	cinquanta
60	sessanta
70	settanta
80	ottanta
90	novanta
100	cento
1 000	mille
2 000	duemila
1 000 000	un milione

Le jour et l'heure

une minute	un minuto
une heure	un'ora
un jour	un giorno
lundi	lunedì
mardi	martedì
mercredi	mercoledì
jeudi	giovedì
vendredi	venerdì
samedi	sabato
dimanche	domenica